Développement international :
le choix des stratégies

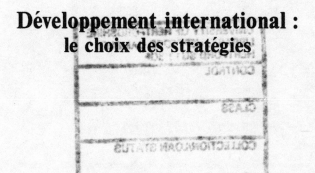

© Les Éditions d'Organisation, 1989

Collection Hommes et Techniques

Patrice BOISSY

Développement international :
le choix des stratégies

LES ÉDITIONS D'ORGANISATION

AUX ÉDITIONS D'ORGANISATION

Pierre-Guy de LENTDECKER
Le technicien du commerce international

CARNETS DE L'EUROPE
N° 1 : Cadre européen et acte unique
N° 2 : L'Espagne
N° 3 : République Fédérale d'Allemagne

René MOULINIER
Direction de la force de vente

Robert DURÖ et Bjorn SANDSTRÖM
Stratégies guerrières en marketing

Robert DURÖ
L'atout concurrentiel

Vincent CAZAUMAYOU
Visa pour l'export

Roger FOLCO
La logistique à l'export

Philip KOTLER, Liam FAHEY et Somkid JATUSRIPITAK
La concurrence totale, les leçons du marketing stratégique japonais.

André TORDJMAN
Le commerce de détail américain, des idées nouvelles pour l'Europe

ISBN : 2-7081-1088-8

Table des matières

Introduction

Clausewitz définit la stratégie comme « la détermination dans l'espace et dans le temps, du cadre devant permettre, en fonction des moyens matériels et humains disponibles, d'atteindre dans les meilleures conditions, les objectifs dont la conquête a été jugée indispensable pour la sécurité du pays ».

La récupération du vocabulaire militaire par le milieu des affaires ne date pas d'hier ; mais c'est sans doute dans le domaine international que le parallélisme entre les deux démarches apparaît le plus saisissant. Les emprunts à la terminologie guerrière foisonnent dans les cas d'entreprises étudiées à Harvard, à l'I.N.S.E.A.D. ou à H.E.C. : « attaque », « offensive », « terrain », « tête de pont », « point d'appui », « pénétration », « occupation », « repli », « assaut frontal », « guérilla », « cible », sont familiers aux analystes et aux hommes de marketing, notamment lorsqu'il s'agit d'évaluer le comportement des grands groupes sur le marché mondial. Cette assimilation entre la stratégie en polémologie et l'action internationale en économie se conçoit aisément :

— L'une et l'autre doivent se dérouler sur des terrains mal connus et, en règle générale, hostiles.

— L'une et l'autre sont appelées à tenir compte d'une résistance locale, nationale ou internationale.

— L'une et l'autre doivent intégrer un ensemble de facteurs techniques, financiers, matériels et humains impliquant des adaptations permanentes des comportements.

— L'une et l'autre visent des objectifs à long terme.

— L'une et l'autre ont un caractère « total » en ce sens qu'elles exigent une mobilisation de l'ensemble des forces et des ressources dont dispose, selon le cas, l'entreprise ou la nation.

Si « la guerre est une chose trop sérieuse pour la confier aux militaires »... il en va de même sans doute de l'action internationale qu'il convient de ne pas abandonner aux seuls commerçants !

Cet « impératif stratégique » s'impose donc à quiconque décide d'affronter un adversaire sur son propre terrain ; il s'impose aux grands groupes comme aux P.M.I. ; plus encore aux P.M.I. qu'aux grands groupes, dans la mesure où, comme les petites nations face aux grands empires, la petite entreprise dispose de moins de réserves et présente donc des capacités de résistance infiniment plus réduites dans la compétition internationale. Or, la compétition internationale ne fait pas de différence entre les riches et les pauvres et les compagnies aériennes ne distinguent pas, dans leurs tarifs, la clientèle des P.M.I. de celles des grandes entreprises !

De même que les grands conquérants se trouvent tôt ou tard dévorés par leurs propres conquêtes, l'extrême et trop rapide succès à l'exportation est aussi préjudiciable à l'entreprise que l'échec, dès lors que l'action mise en œuvre ne s'est pas inscrite dans une réflexion d'ensemble, dans une perspective à long terme, que des objectifs n'ont pas été définis, que les moyens optimaux n'ont pas été réunis ou programmés, que les structures, les fonctions, les comportements à l'intérieur de l'entreprise n'ont pas été préparés à cet effort.

C'est pourquoi, paradoxalement, on peut estimer néfaste l'enrichissement permanent du dispositif public d'aide à l'exportation lorsqu'il ne prend pas en compte la réalité des objectifs, la nature des moyens mis en œuvre par l'entreprise candidate, ses aptitudes et ses capacités. De même nous ne pourrons que souligner le caractère irresponsable des actions de sensibilisation au commerce extérieur menées à l'échelon local ou national par des institutions publiques, privées ou parapubliques. Remplir un jet de plusieurs centaines de chefs d'entreprises de P.M.E. pour les jeter, sans aucune préparation, sur les marchés les plus difficiles du monde, c'est, à coup sûr, faire plusieurs centaines de déçus, parfois dégoûtés de l'exportation en général. Pour quelques privilégiés qui réussissent — la plupart du temps parce qu'ils ont déjà pris la mesure du marché et élaboré leur stratégie — comien de victimes dans ces opérations kamikazes, sans lendemain, combien de victimes et quelle confirmation de l'image peu flatteuse de l'exportation française sur un bon nombre de marchés étrangers !

Au lieu de se désespérer du faible nombre des P.M.E. qui exportent, selon le leitmotiv des responsables qui se succèdent à la tête des ministères économiques, réjouissons-nous au contraire de la sagesse de ces petits patrons qui savent — consciemment ou non — que l'exportation n'est pas, ou pas encore, pour eux à l'ordre du jour et ne prennent pas de risques inconsidérés et ce, quelles que soient les exhortations ou les subventions de ministres trop pressés. Félicitons-nous de la prudence avec laquelle la plupart d'entre eux élaborent leur politique export en s'attaquant d'abord à la Belgique plutôt qu'aux Etats-Unis, à la Corée du Sud ou au Japon nonobstant les incitations, qu'à la manière des soldats de Faust, leur prodiguent ceux qui ne risquent ni leurs capitaux, ni leur entreprise...

C'est donc à ces patrons prudents que s'adressent les chapitres qui vont suivre ; ils n'ont pas d'autre prétention que d'offrir une aide à la réflexion à ceux qui veulent sérieusement intégrer la dimension internationale dans leur développement.

Soumise à des objectifs précis, conçue comme un cadre d'action applicable dans l'espace et dans le temps selon Clausewitz, la stratégie dans sa version pacifique et économique propre à l'entreprise s'articule en trois phases principales (voir figures 1 et 2) :

Figure 1 : L'impératif stratégique : le cadre d'ordres

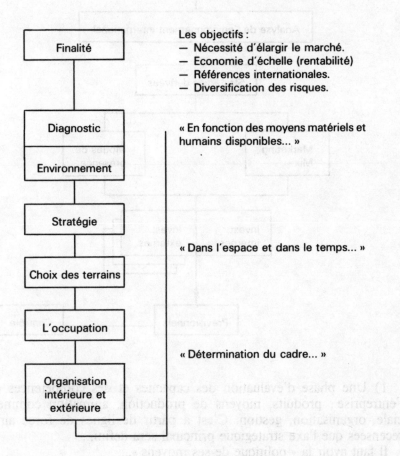

Finalité	Les objectifs : — Nécessité d'élargir le marché. — Economie d'échelle (rentabilité) — Références internationales. — Diversification des risques.
Diagnostic **Environnement**	« En fonction des moyens matériels et humains disponibles... »
Stratégie	
Choix des terrains	« Dans l'espace et dans le temps... »
L'occupation	
Organisation intérieure et extérieure	« Détermination du cadre... »

Figure 2 : L'application : le plan de développement international

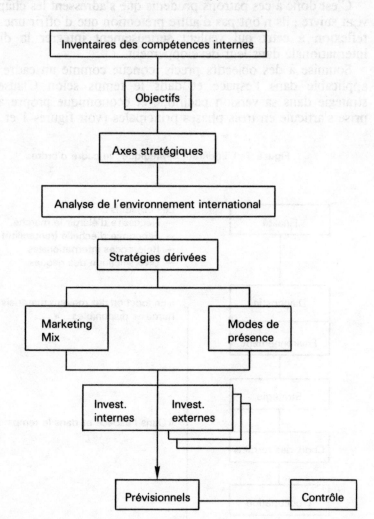

1) Une phase d'évaluation des capacités et des compétences de l'entreprise : produits, moyens de production, animation commerciale, organisation, gestion. C'est à partir de lignes de force ainsi recensées que l'axe stratégique principal sera défini...

Il faut avoir la « politique de ses moyens »...

2) Une phase de choix : la confrontation avec l'environnement international, géographique, économique, politique et commercial doit permettre la définition de stratégies dérivées :

a) sélection et approche des marchés,
b) marketing-mix,
c) modes de présence.
3) Une phase d'organisation : la mise en œuvre pratique dans le temps et dans l'espace des politiques produits ou des politiques commerciales implique la conception et l'aménagement des structures adaptées aux stratégies antérieurement définies.

Nous avons tenté de donner à cet ouvrage un contenu pratique et recouru dans la mesure du possible — le marketing n'étant pas une science exacte — à une méthodologie reposant sur des critères chiffrables.

Notre souci fondamental tout au long de cette réflexion est de respecter et de faire ressortir l'impérieuse nécessité, la pierre angulaire de toute stratégie, *la cohérence* : cohérence des moyens et des objectifs, cohérence des objectifs et des méthodes, cohérence des méthodes et des moyens.

Tel est notre dessein : il reste à savoir si la stratégie adoptée est la bonne ; seule l'utilisation des instruments présentés dans les pages qui vont suivre, instruments dont bon nombre sont modélisables par la voie informatique, permettra aux lecteurs de répondre à cette interrogation essentielle.

Chapitre I

L'inventaire des ressources propres

Section 1 : l'introspection, pour quoi faire ?

1.1. L'action internationale : un investissement

Ainsi que nous l'avons évoqué plus haut, la phase d'introspection constitue la première et sans doute la plus importante des étapes dans l'élaboration d'une stratégie internationale et ce, pour trois raisons essentielles :

1) L'engagement à l'exportation est assimilable à un investissement masqué.

Parce qu'il se traduit par une immobilisation durable de ressources financières, techniques et humaines dans une perspective de rentabilité interne, tout investissement suppose une étude de faisabilité : quel type d'équipement, à quel prix, avec quel rendement, impliquant quelle formation, quel financement, quelle localisation, quelle structure d'accueil ? etc. Il en va de même de l'action internationale, à cette différence près qu'il s'agit d'un investissement qui ne veut pas dire son nom : l'essentiel des charges répétitives certes, mais permanentes et correspondant à l'engagement international, n'est pas amortissable ; il pèse directement sur la rentabilité de l'entreprise mais il n'apparaît pas, sauf approche analytique, dans la comptabilité générale. Considérée comme une source de frais généraux et bien souvent comme une occasion de dépenses somptuaires, l'exportation n'a pas toujours bonne presse chez les analystes financiers qui ont tendance à n'y voir qu'un facteur de réduction de l'autofinancement, au moins dans la phase initiale, et de déséquilibre des bilans, donc un risque supplémentaire.

Rarement isolé dans le compte d'exploitation des P.M.E., l'investissement export — bien que situé dans une perspective à moyen et long terme — n'est pas finançable par des ressources externes de durée équivalente : son financement s'effectue donc, pour l'essentiel, par un prélèvement sur le fonds de roulement et en fait sur la trésorerie à court terme de l'entreprise : hérésie des hérésies !

Cet effet pervers de l'exporation sur la trésorerie a été maintes fois dénoncé et les cimetières d'entreprises sont peuplés comme chacun sait « d'Oscars de l'exportation » qui ont mal fini ; il s'illustre également dans la célèbre formule extrait d'un rapport de banque : « Entreprise saine, quoique exportatrice ! »

2) La seconde raison qui justifie une analyse conséquente et préalable des structures et des moyens est, rappelons-le, la vocation totale, sinon sur un « totalitaire » de l'action internationale. Penser exportation, c'est en premier lieu — on vient de le voir — engager des ressources financières à long terme, c'est risquer tout ou partie de ses réserves, mais c'est aussi résoudre de nouveaux problèmes qui ne manquent pas de surgir : organisation d'un service export, création ou adaptation de produits, élargissement de gamme, ordonnancement et lancement en fabrication, gestion de stocks, service après-vente à l'étranger, conception de procédures adaptées aux contraintes et aux délais de la vente à l'étranger, problèmes logistiques d'emballage et de conditionnement d'expédition, sans compter les aspects strictement commerciaux de la prospection, de l'administration des ventes à l'étranger.

Par ailleurs, entrer en exportation, c'est intégrer un nouvel environnement fonctionnel : les administrations spécialisées, les auxiliaires de services à l'export : transitaires, assureurs, conseils, services étrangers des banques dont les exigences ou les interventions impliqueront, aux divers échelons de l'entreprise, la création ou l'aménagement de structures relationnelles supplémentaires.

En d'autres termes, l'action internationale va, sinon mobiliser, du moins concerner, la quasi-totalité des fonctions de l'entreprise. (Voir figure I-1.)

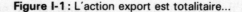

Figure I-1 : L'action export est totalitaire...

Bande extérieure : les contraintes marchés
Bande médiane : les réponses de l'entreprise
Noyau central : les fonctions concernées

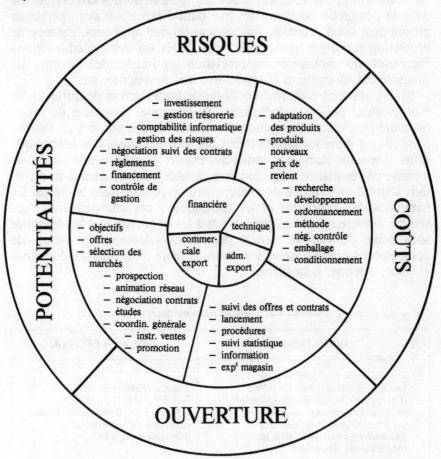

Commentaires

A partir des contraintes externes qui conditionnent les décisions à l'exportation s'élaborent les tâches spécifiques qui s'imposent à l'ensemble des fonctions de l'entreprise : technique, commerciale, financière et administrative.

3) Corollaire de la précédente : la troisième justification du prédiagnostic export est liée aux contraintes techniques de l'action internationale (voir tableau I-2) ; celle-ci implique en effet :

a) Une connaissance des spécificités marketing, juridiques et administratives, logistiques et réglementaires de toute initiative dans ce domaine. S'il convient de ne pas exagérer la portée de cette technicité de l'export, on doit cependant reconnaître que la plupart des accidents liés à l'exportation et susceptibles de mettre en péril la vie d'une entreprise sont dus à des négligences ou des erreurs, moins dans la démarche commerciale que dans l'exécution des opérations proprement dites : contrats mal conçus ou mal appliqués, absence de protection juridique, non-respect des délais ou des réglementations françaises ou étrangères, appréciation optimiste des besoins de financement, documents d'expédition mal renseignés, etc.

b) Un appareil élaboré de collecte de traitement et de diffusion de l'information politique, technique, économique, financière ou réglementaire permettant l'irrigation de l'ensemble des services de l'entreprise jusque dans les ramifications les plus éloignées des préoccupations internationales. La structure export constitue une sorte de « caisse de résonance » qui doit être capable de diffuser une information souvent génératrice de changements profonds dans les idées, les habitudes, les méthodes et les techniques ; ces changements, l'ensemble des agents de l'entreprise ont à les connaître et à les assimiler sous peine de voir se creuser dans l'établissement, un « gap » de compétences préjudiciables à sa compétitivité dans tous les domaines et donc, à terme, à sa survie.

Tableau I-2 : L'exportation est technique...

OPÉRATIONS	AIDE A LA DÉCISION
A) *L'analyse de l'environnement* Les flux commerciaux, les pôles d'échanges, le cadre institutionnel national et international, les caractéristiques des relations monétaires internationales, les mécanismes douaniers.	*Source d'information :* G.A.T.T., O.C.D.E., O.N.U., C.N.U.S.E.D., Banque mondiale, Chambre de commerce internationale, etc.
B) *L'étude et la sélection des marchés* La collecte de l'information, l'analyse produits, le marketing mix, la segmentation à l'export.	*Outils publics et privés :* C.F.C.E., A.N.V.A.R., Norex, Institut de propriété industrielle, douanes, Institut français d'emballages et de conditionnement.
C) *La prospection* L'organisation de la prospection, le plan de développement, la mobilisation des aides, le voyage d'affaires, la méthodologie commerciale.	Postes d'expansion économique et Directions régionales du commerce extérieur, Centre français du commerce extérieur, Chambres du commerce et d'industrie, Banques, Syndicats professionnels, Agences de publicité, Coface, etc.

OPÉRATIONS	AIDE A LA DÉCISION
D) *Le traitement des commandes* L'offre (produits, prix, réglementation, transports, délais, règlements, garanties, assurances techniques, contreparties, cautions, etc.), le contrat de vente, le traitement administratif.	Conseils juridiques, Lawyers Avocats Intern. Projic, Alex, Exin, Hermès, Logexport, R.G.B. export, etc.
E) *Le règlement* Les instruments (chèques, virements, mandats-postes, lettres de change, etc.), les techniques (encaissement, remises documentaires, crédits documentaires, etc.).	Incoterms, Banques, Chambre de commerce international, etc.
F) *Le transport* Les unités de charge (les techniques de transport, la codification, la domiciliation, etc.), le contrat de transport (documents de transport, connaissements, L.T.A., lettres de voiture, etc.)	Commissionnaires de transport, logistique, conseils en institutions spécialisées, etc.
G) *La douane* L'exportation en simple sortie, le régime de transit, l'entreposage, les régimes de perfectionnement et l'exportation temporaire, les procédures de dédouanement, la réglementation douanière à l'étranger, les documents d'accompagnement.	Code des douanes, C.F.C.E., Direction générale des douanes service de renseignements, Auxiliaires en douane, etc.
H) *La couverture des risques* Les différents types de risque : risques de transport, risques commerciaux, risques financiers, risques de change, de fabrication, les cautions...	Compagnies d'assurances, Transports, Coface, Banques, Institut d'analyse de risques, Sofaris, etc.
I) *La gestion de la trésorerie export* Les acomptes, le préfinancement, les M.C.N.E., l'affacturage, le crédit prospection, le financement des stocks, les crédits fournisseurs et crédits acheteurs, la couverture à terme, etc.	Services spécialisés des banques. Cofise.
J) *L'implantation* Aspects techniques, logistiques, juridiques, fiscaux, humains, financiers.	Législation locale, réglementation administrative et fiscale française, aides à l'implantation, sociétés de capital-risque, Codex, conseils juridiques, garantie des investissements Coface et B.F.C.E., caisse de Sécurité sociale, réglementation de la protection sociale à l'étranger, etc.

1.2. La faisabilité : méthodologie

Effectuer un diagnostic export consiste, bien entendu, à *recenser* des forces, des faiblesses, des compétences ou des insuffisances dans les éléments constitutifs de l'entreprise, dans la perspective d'un élargissement de son marché traditionnel mais c'est aussi, à partir de ses éléments et notamment de ses lignes de force, *concevoir* déjà un cheminement stratégique adapté aux compétences actuelles de l'entreprise et non à ses capacités potentielles.

L'inconvénient, en effet, des diagnostics de type traditionnel est leur caractère statique et, souvent, quelque peu utopique : la bonne exportation, si l'on en croit les experts, suppose tellement de qualités initiales chez le candidat que seules les affaires les plus performantes, parmi les P.M.I., auraient le droit d'accéder aux marchés extérieurs ; en outre, le souci louable des spécialistes de recommander la correction des défauts préalablement à toute action dans le domaine international, constitue pour les chefs d'entreprise un prétexte... à l'inaction.

Il nous paraît en conséquence indispensable de concevoir ce diagnostic comme partie intégrante de la démarche stratégique ; en d'autres termes, l'analyse ne doit pas déboucher sur l'alternative : « bon pour l'action internationale ou recalé... » mais sur cette conclusion : « avec les atouts que vous avez, voici les objectifs auxquels vous pouvez prétendre... »

Jean-Marc Deleesnyder (1) estime que la « notion de diagnostic n'est guère satisfaisante car trop normative, abusivement rationnelle et finalement manichéenne », il lui substitue une notion de « pronostic export » consistant à mesurer les chances de réussite qu'une entreprise sur un marché donné en fonction de différents critères tels que le niveau de la technologie locale, la présence d'entreprise française, les possibilités de transfert, de savoir-faire, etc.

Une telle approche relativise l'appréciation des compétences de l'entreprise, des caractéristiques du produit ou de la qualité de la force de vente en fonction d'un environnement donné, elle se justifie dans une perspective marketing d'approche d'un marché ou d'une zone déterminée ; elle apparaît néanmoins insuffisante dès lors qu'il s'agit de déterminer des choix fondamentaux en matière d'engagement sur les marchés mondiaux. Dans cette dernière optique les choix à long terme supposent une mesure objective des potentialités de l'entreprise et c'est cette mesure qui déterminera la stratégie d'où découleront les politiques marketing adaptées à chaque marché.

---

(1) *Marketing international*, Dalloz, Paris, 1982.

L'outil d'autodiagnostic que nous proposons ci-après répond aux exigences suivantes :

a) il doit être limité aux principaux éléments de l'entreprise et notamment à ceux qui se trouvent en relation directe avec la stratégie internationale,

b) il doit être concis et aisément visualisable par le chef d'entreprise lui-même,

c) il doit être quantifiable.

C'est pourquoi nous assortirons les notes affectées à chaque poste analysé d'un coefficient permettant d'accentuer ou de relativiser l'importance de ce poste au regard des choix fondamentaux de la stratégie.

Deux séries de facteurs basiques, on l'a vu, conditionnent l'élaboration de la stratégie : les aptitudes propres de l'entreprise, d'une part, les caractéristiques de l'environnement et son évolution (environnement professionnel, environnement sociologique, environnement géographique et économique, etc.) d'autre part.

On examinera dans la seconde partie ce dernier groupe de facteurs. Pour l'heure, nous nous limiterons par souci de réalisme à l'examen des éléments internes. En effet, avant de disposer d'une information exhaustive sur l'environnement, le chef d'entreprise d'une P.M.I. n'aura de fait à sa disposition, pour prendre la décision initiale de s'engager dans la voie du développement international, que la mesure de ses propres forces. Cet « examen de conscience » effectué avec objectivité et lucidité portera essentiellement sur cinq points :

— les aptitudes des produits,
— les aptitudes de l'appareil de production,
— les potentialités commerciales,
— les capacités financières,
— la qualité du management.

Afin de lui donner un maximum d'efficacité, cette analyse devra donner lieu à une évaluation chiffrée que l'on peut être tenté de définir à partir d'une notation assortie éventuellement d'un coefficient permettant d'accentuer l'incidence des critères les plus importants ; on résumera ci-après les principaux critères de décision applicables aux quatre fonctions essentielles évoquées plus haut : produits, production, marketing, management.

Section 2 : les produits

— Critères physiques : rapport poids valeur, volume valeur, fragilité, durée de vie.

— Critères commerciaux : vocation de sous-ensembles ou de produits finis, marge, marque et made in, gamme, situation dans la courbe de vie (âge), contraintes de stock, contraintes d'après-vente.

— Critères réglementaires : sujétions tarifaires ou paratarifaires liées à la nature même des produits.

— Critères marketing : politique produit.

2.1. Les critères physiques

Ces critères sont décrits dans le tableau I-3, ci-contre.

Commentaires du tableau I-3 :

Ces trois critères physiques sont importants dans la mesure où ils conditionnent l'aptitude du produit, en tant que tel, à s'exporter directement. Les surcharges liées au transport et au conditionnement constituent un risque de pénalisation des produits par rapport à la concurrence. Lorsque les frais d'emballage, de conditionnement et de transport atteignent ou dépassent 30 % de la valeur exworks du produit (cas de la plupart des produits à caractère pondéreux), « le rayon utile » justifiant une exportation directe se trouve ramené à quelques centaines de kilomètres des centres de production. En illustration de ce propos, il convient d'évoquer les statistiques du commerce extérieur français qui montrent que 60 % des exportations françaises s'effectuent à moins de mille cinq cents kilomètres autour de Paris et, également, de rappeler que la valeur moyenne du tonnage exporté de France est inférieure de près de moitié à la valeur d'une tonne exportée d'Allemagne fédérale.

On constate par ailleurs que les plus beaux fleurons de nos exportations à longue distance sont constitués par nos produits de grand luxe, à faible poids, forte valeur ajoutée et forte marge. Quant aux biens d'équipements lourds, leurs débouchés natuels restent les pays en voie de développement, vis-à-vis desquels l'ensemble des pays industriels fournisseurs se trouvent, à peu de chose près, sur un pied d'égalité, à l'exception de la zone Pacifique où Améri-

Tableau I.3 : Les critères physiques

PRODUITS / Aptitudes physiques	Coeff.	Développement	Exemples	Notation							Cote		
				-3	-2	-1	0	+1	+2	+3	Total	Coeff.	Note utile
2.10. Rapport : Valeur/poids Valeur/volume	3	Incidence des coûts d'acheminement sur la compétitivité du produit	Produits aliment. de première utilité	+							- 3	3	- 9
			Mat. construction	+							- 3		- 9
			Papier carton		+						- 2		- 6
			Demi-produits (chimie de base)					+			+ 1		+ 3
			Machines outils						+		+ 2		+ 6
			Compos. électriques							+	+ 3		+ 9
2.11. Fragilité	2	Incidence des coûts d'emballage et de conditionnement sur la compétitivité des produits	Verrerie	+							- 3	2	- 6
			Electronique		+						- 2		- 4
			Mécanique			+					- 1		- 2
			Chimie fine					+			+ 1		+ 2
			P. alimentaire						+		+ 2		+ 4
			Biens équipement lourds							+	+ 3		+ 6
			Extract. minière										
2.12. Durée de vie	2	Incidence de la durée de vie du produit sur les moyens et coûts logistiques	Produits frais	+							- 3	2	- 6
			Produits pharmac.		+						- 2		- 4
			Articles de mode			+					- 1		- 2
			Produits haute technologie					+			+ 1		+ 2
			Equipement ménager						+		+ 2		+ 4
			Biens industriels							+	+ 3		+ 6

cains et Japonais, pour diverses raisons — dont le facteur poids/valeur — se taillent la part du lion...

Il reste à déterminer le seuil de pénalisation physique d'un produit exporté ; ceci ne pourra être véritablement établi qu'après étude de l'acceptabilité des prix de marché. Au stade du raisonnement, la prise en compte des facteurs physiques nous autorise seulement la formulation de deux propositions :

— Dans l'hypothèse de contraintes physiques importantes et en l'absence d'autres arguments de caractère commercial : qualité, image de marque, préférence locale, etc., les perspectives d'exportation directe ne peuvent concerner que des marchés proches.

— La pénétration de pays plus lointains passe par d'autres modes de présence : l'investissement direct, la sous-traitance partielle, le transfert de technologie, etc.

2.2. Les critères commerciaux

Ces critères sont présentés dans le tableau I-4.

Commentaires du tableau I-4 :

Critère : Vocation de composant ou produit fini (2.21)
Ce critère n'est pas essentiel et est assorti d'un coefficient 1, il vient en complément des autres facteurs commerciaux. L'argument essentiel du composant est son originalité ou son innovation technologique, ce qui nous ramène *de facto* au critère marge unitaire et degré d'obsolescence (2).

Critère : Marge unitaire (2.22)
Ce critère est à manier avec précaution, compte tenu :
a) de l'interprétation donnée au positionnement dans une gamme donnée selon le type de pays ou de consommateurs,
b) de l'incidence de la notion de série sur la rentabilité unitaire, une rentabilité nette de 2 % sur vingt mille paires de chaussures par jour fabriquées peut équivaloir en capacité d'autofinancement à 20 % sur mille paires par jour.

Critère : Marque ou « Made in » (2.23)
Corollaire de la marge, la marque ne constitue un « plus » export que dans la mesure où elle s'appuie sur une notoriété internationale. On distinguera à cet égard :

---

(2) Il reste que l'intérêt essentiel du composant réside dans la faiblesse de l'investissement commercial nécessaire à la conquête d'un marché constitué d'industriels et non d'utilisateurs de produits finis.

Tableau I.4 : Les critères commerciaux

PRODUITS — Aptitudes commerciales	Coeff.	Développement	Exemples	-3	-2	-1	0	+1	+2	+3	Total	Cote Coeff.	Note utile
2.21. Destination : Produits finis ou composants	1	Vocation du produit à s'intégrer dans un ensemble : – moindre investissement commercial, – éventail ouvert aux solutions, – sous-traitance export indirect, etc.	Automobile	+							-3	1	-3
			Fourniture pour autoroute							+	+3		+3
			Chaudronnerie						+		+2		+2
			Outillages					+			+1		+1
			Mécanique générale						+		+2		+2
2.22. Marge unitaire	2	Capacité de la marge sur coût direct à : – absorber les coûts de l'export, – autofinancer l'investissement commercial export	Produits agricoles de base	+							-3	2	-6
			Biens de consommation banalisés		+						-2		-4
			Pièces détachées pour industrie						+		+2		+4
			Produits de luxe							+	+3		+6
			Demi-produits					+			1		2
2.23. Marque ou « made in »	3	Avantage intrinsèque lié à la notoriété internationale du produit ou du pays d'origine (ici la France)	Minerai	+							-3	3	-9
			Demi-produits		+						-2		-6
			Mécanique			+					1		-3
			Electrique						+		+2		+6
			Industrie de luxe							+	+3		+9
2.24. Innovation	4	Avantage provenant du degré d'avance technologique	Produits de base	+								3	-9
			Demi-produits		+								-6
			Mécanique			+							-3
			Electrique						+				6
			Automatisation							+			9

et page suivante

Tableau I.4 : Les critères commerciaux (suite)

PRODUITS Aptitudes commerciales	Coeff.	Développement	Exemples	Notation -3	-2	-1	0	+1	+2	+3	Total	Cote Coeff.	Cote Note utile
2.25. Gamme	2	Insertion du produit dans un ensemble complet, homogène et cohérent	– Absence de gamme	×								2	± 2
			– Gamme incomplète ou hétérogène		×								– 4
			– Gamme non cohérente			×		×					– 6
			– Gamme complète et cohérente						×				+ 4
			– Gamme complète homogène et cohérente							×			+ 6
2.26. Age	2	Aptitude à insérer l'international selon la courbe de vie du produit. Export en phase :	0 : création 1 : lancement 2 : développement 3 : maturité 4 : déclin										
2.27. Contraintes de stocks et de service après-vente	3	L'entretien éventuel d'un stock local et/ou d'un S.A.V.	– Sans stock ni S.A.V. (services)							×	+ 3	3	+ 9
			– Stock sans S.A.V. (produits alimentaires)		×						– 2		+ 6
			– Stock + S.A.V. (électroménager)	×							– 3		– 9
			– S.A.V. sans stock (équipement lourd)			×					– 2		– 6

a) la marque proprement dite dont la pérennité est liée à un investissement promotionnel important et permanent,

b) le « made in » ou l'image de marque nationale répondant à une attente tacite et à un a priorisme inconscient de la clientèle sous toutes les latitudes. Dans notre tableau, il ne s'agit pas bien entendu de confier à l'illustration donnée un caractère rigoureux de cotation. Il existe dans le secteur classé 3 de très belles affaires (Péchiney, dont la réputation est davantage due à la notoriété de la marque qu'à l'image France en est un exemple). Qu'on le veuille ou non, et indépendamment des efforts des pouvoirs publics et des entreprises, l'image internationale française est associée à l'idée de luxe, de produits de consommation haut de gamme et de qualité à vocation élitiste : « le goût français », « la précision suisse », « la solidité allemande », « la créativité italienne »...

Ne spéculons pas outre mesure sur ces a priori. Notons seulement que l'action à l'exportation impliquera un effort de persuasion donc un investissement promotionnel inversement proportionnel à l'image « France » perçue pour la branche considérée dans le pays désigné : le vin de Bordeaux perce plus facilement au Japon que la mécanique lourde made in France.

Critère : Innovation (2.24)

Il est essentiel dans la compétion internationale, notamment pour les produits de deuxième et surtout de troisième génération industrielle.

Critère : Gamme (2.25)

Le tableau tend à faire une hiérarchie entre les qualités de la gamme :

a) La plus mauvaise note est ainsi décernée à ce que nous appellerons *les obsédés de la fabrication* qui, s'appuyant sur leur seule inspiration de technicien et sans préoccupation marketing d'aucune sorte, lancent à longueur d'année produits sur produits, inventés ou imités. Sauf invention de génie, cette boulimie de diversification irréfléchie est source de gaspillage et de déperdition conduisant à l'échec, à l'exportation, mais également sur le marché domestique.

b) Moins condamnable mais relativement dangereux est le comportement tendant à donner une certaine cohérence à l'ensemble des produits fabriqués mais sans souci d'unification ni de personalisation de la gamme.

c) De même l'avantage que peut donner un assortiment de produits bien conçus, bien positionnés sur un créneau précis de clientèle, peut être neutralisé par les failles qu'exploiterait la concurrence.

d) C'est pourquoi, et c'est le cas de bien des P.M.I., dans ce type de circonstances, une politique monoproduit rigoureusement menée sera préférable à la promotion d'une gamme mal conçue et mal pilotée. Un éventail cohérent comportant quelques éléments hétérogènes acquis à l'extérieur permettant d'offrir un éventail complet, face à un segment de clientèle donné, constituera un incontestable « plus ». Le *nec plus ultra*, celui qui a fait la réussite de la Upper Middle Class de l'exportation française, les Seb, Moulinex, Cristalleries d'Arques, Legrand, Leroy, Sommer ou Télémécanique, réside dans la conception d'une gamme parfaitement cohérente avec la stratégie générale de l'entreprise, ses moyens de production, la clientèle visée ; une gamme identifiable dans chaque produit, une gamme en permanence enrichie pour tenir compte de l'apparition de nouveaux besoins et de nouveaux challengers.

Critère : Degré d'obsolescence (2.26) (à rapprocher du critère innovation)

Tout produit, on le sait, se conçoit, naît, se développe, mûrit et meurt (voir figure I-5).

Figure I-5 : Courbe de vie des produits

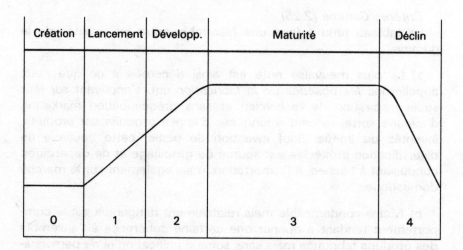

Création	Lancement	Développ.	Maturité	Déclin
0	1	2	3	4

Le produit en phase 0 est riche de potentialités, mais en milieu P.M.I., l'accès au marché international, à ce stade, passe le plus souvent par la cession de brevet ou de savoir-faire donc, de fait, par l'abandon de ses potentialités au profit d'un tiers.

En phase 1 et 2, la politique d'exportation en l'absence de concurrence est sans doute la plus fructueuse, mais en règle générale, la taille des marchés domestiques requiert toutes les forces de l'entreprise et sauf cas d'affaires déjà très implantées internationalement, l'exportation est repoussée à la phase ultérieure ou donne lieu à cession de licence à l'étranger.

En phase 3, l'exportation paraît vitale compte tenu du plafonnement atteint par le produit sur le marché domestique en milieu concurrentiel, mais c'est aussi une phase difficile pour s'imposer face à une concurrence qui a eu le temps de réagir.

En phase 4 le produit entre dans sa période de déclin sur tous les marchés ; c'est la phase de concurrence parfaite où souvent une bonne rentabilité, obtenue par l'amortissement de l'appareil de production et les frais de recherche, masque une grande vulnérabilité de l'entreprise. La conquête de nouveaux marchés passe par la fabrication locale sur des marchés protégés.

Le « plus » produit ne survit que par des améliorations de détail, des astuces de présentation, et un matraquage promotionnel coûteux.

Critère : contraintes de stocks et d'après-vente (2.27)

Toute politique d'expansion internationale doit tenir compte de deux grandes séries de contraintes commerciales : l'entretien d'un stock local et le service après-vente. L'exportation sera d'autant plus aisée, l'investissement d'autant moins lourd, la structure et la distribution d'autant plus légères que le produit n'exigera aucune maintenance ni constitution de stock. En revanche de telles contraintes qui affectent la distribution des biens de consommation comme celle des biens d'équipements impliquent l'intégration dans la stratégie de paramètres prioritaires que sont :

a) la nécessité de disposer d'une structure capable d'assurer la mise en place et la gestion d'un stock, donc d'un point d'appui relativement lourd,

b) la nécessité d'assurer un contrôle effectif sur cette gestion, afin de faire en sorte que les performances commerciales ne soient pas neutralisées par une défaillance de l'après-vente.

2.3. Les aptitudes réglementaires

Le tableau I-6 donne une présentation schématique des facteurs de réglementation.

Commentaires du tableau I-6

Il s'agit là de mesurer les handicaps du produit que provoquent les contraintes tarifaires et paratarifaires engendrées par le seul fait que ce produit existe.

On distinguera donc à cet égard *les mesures de protection* prises par les Etats et qui constitueront l'un des critères de sélection des marchés (voir chapitre II Sect. 3), des *réglementations internes ou externes d'ordre public* ; exemples : la quasi-totalité des produits agro-alimentaires, des produits pharmaceutiques et parapharmaceutiques, des produits chimiques, de l'armement, des œuvres d'art, etc.

Les fabricants de tels produits dont la commercialisation est susceptible de porter atteinte à la santé publique, la sécurité, les bonnes mœurs, la défense nationale, la défense du patrimoine doivent s'attendre à se heurter à des protections tarifaires et paratarifaires rigoureuses, quel que soit le pays en cause ou son régime politique et économique.

Ce handicap doit être sérieusement pris en compte dans la réflexion stratégique, c'est pourquoi nous l'avons assorti d'un coefficient 2.

Ce classement ne prétend pas toutefois fixer scientifiquement une appréciation définitive sur l'incidence de ce type de réglementation dans la démarche exportatrice. En effet, selon les les pays, l'ordre public (3) prime la santé ; ailleurs, ce sera l'inverse ; partout les intérêts de défense nationale dominent les autres considérations ; ce constat ne signifie pourtant pas que l'ensemble des marchés du monde soit inaccessible aux produits considérés ; il alerte seulement le candidat exportateur sur cette contrainte dont la levée prendra des semaines, des mois, voire des années de constitution de dossiers, de démarches, d'expertises, d'adaptations diverses et qui devra donc être évaluée en terme de coûts, et... de savoir-faire.

_____

(3) Ou la religion.

Tableau I.6 : Les aptitudes réglementaires

PRODUITS / Aptitudes réglementaires	Coeff.	Développement	Exemples	Notation							Total	Cote Coeff.	Note utile
				-9	-6	-2	0	+2	+6	+9			
Sensibilité aux obstacles tarifaires ou paratarifaires	3	Propension du produit à susciter par sa nature même des réglementations. Incidence sur : — la santé publique — la défense nationale — les bonnes mœurs us et coutumes, — la sécurité, etc.	— Produits agro-alimentaires	x								2	− 6
			— Produits pharmaceutiques	x										− 6
			— Parapharmaceutiques		x								− 4
			— Produits chimiques		x								− 4
			— Œuvres artistiques			x							− 2
			— Matériel de transport						x				+ 2
			— Textiles					x					+ 4

2.4. La politique produit

Voir le tableau I-7.

Commentaires du tableau I-7.

On entend par politique produit, la capacité du management de l'entreprise à maîtriser tous les aspects de la vie de ce produit, toutes les péripéties d'origine interne ou externe qui peuvent en affecter la destinée. Cette définition intègre également les contraintes qui pèsent sur le produit en raison d'accords antérieurs conclus avec des tiers (acquisition de technologie, contrats de fournitures, accords commerciaux, etc.).

Enfin, on y ajoutera la capacité de l'entreprise à formaliser son savoir-faire et à le reproduire pour son compte propre (délocalisation d'unités de production) ou à le céder à des tiers étrangers (cession de licence, assistance technique, usines clés et produits en mains, etc.).

Dans le climat de concurrence planétaire actuel et d'inégalité des chances entre les pays (selon la typologie que nous évoquerons plus loin), cette capacité de mutation, de renouvellement et d'exportation du savoir-faire, constitue l'un des atouts majeurs pour les prétendants à l'action internationale tous azimuts.

Tableau I.7 : Les trois volets de la politique produit

PRODUITS / La politique produit	Coeff.	Développement	Exemples	Notation -3	-2	-1	0	+1	+2	+3	Cote Total	Coeff.	Note utile
2.41. Autonomie technique et commerciale	2	Degré de dépendance au regard des tiers	– Fabrication sous licence – Dépendance d'un fournisseur – Accords de réciprocité technico-commerciaux	x		x						3	– 9
2.42. Maîtrise du produit	3	Capacité marketing (adaptation de la politique produit aux exigences et évolutions de la demande)	– Innovation – Renouvellement – Adaptation – Maîtrise de méthodes d'analyse de la valeur, etc.						x	x			– 6
2.43. Transfert du savoir-faire	3	Capacité du management à formuler son savoir-faire et à le diffuser (cession de know-how, délocalisation et cession d'assistance technique, etc.)	Existence de : – brevets, – licence, – ingénierie formalisée, – process de formation							x			– 3

Section 3 : les potentialités de production

Trois facteurs liés directement à l'organisation industrielle (ou à l'élaboration des services) commandent la réussite, au moins dans le cas d'une politique d'exportation directe :

— la permanence dans la qualité des produits, garantie de l'image de marque et de la fidélité d'une clientèle par définition inconstante,

— la recherche systématique de l'abaissement des coûts face à une concurrence internationale et locale souvent mieux servie dans les éléments de base des prix de revient : coût de main-d'œuvre, de logistique, de matières premières ou d'énergie, etc.,

— la flexibilité d'une offre eu égard aux exigences de la clientèle étrangère quant au rythme des commandes, aux adaptations spécifiques (couleur, marque, normes, etc.), aux caractéristiques de l'emballage et du conditionnement, aux délais de livraison, etc.

Ces trois préoccupations fondamentales sous-tendent l'analyse que l'on fera de l'appareil de production sous l'angle de :
— sa qualité intrinsèque,
— sa gestion,
— la maîtrise des contraintes propres à la production.

3.1. La qualité de l'appareil de production

Voir le tableau I-8.

Tableau I-8

Critères	Coeff.	− 3	− 2	− 1	0	+ 1	+ 2	+ 3
3.11. Age moyen du matériel	1							
3.12. Degré d'automatisation	3							
3.13. Rationalité des circuits de fabrication	2							
3.14. Organisation du contrôle de qualité	3							

Commentaire du tableau I-8

Il convient d'être réservé sur le critère de l'âge dans la mesure où, selon le type de produit et sa durée d'utilisation, un équipement ancien peut être, à court terme, plus valorisant en terme de rentabilité (équipement totalement amorti) qu'un matériel ultramoderne mais surdimensionné et pesant en conséquence sur les prix de revient.

En revanche, le degré d'automatisation et de robotisation constitue un plus incontestable, notamment pour la survie des produits de première et de seconde génération industrielle directement menacés par les pays à bas taux de main-d'œuvre ou les P.N.I. (pays nouvellement industrialisés).

Pour ce qui est de la qualité de l'organisation des circuits, il s'agit là d'un facteur favorable dans la mesure où cette qualité se traduit par une réduction de la durée du cycle, une diminution des encours, la suppression des stocks tampons, etc.

Enfin, le contrôle de qualité bénéficie d'un coefficient maximum : celui-ci doit s'exercer en amont (réception des matières premières ou des produits semi-ouvrés), en cours de production et en aval. Dans notre société exigeante et complexe, le coût de la non-qualité fait du contrôle une fonction de direction générale.

Reste à connaître la manière dont est non seulement conçu le contrôle de la qualité, mais aussi l'esprit qui l'anime. Le principe de l'autocontrôle par la motivation, la concertation globale accompagnant les techniques matérielles de vérification se démocratise largement aujourd'hui (recherche du « zéro défaut », cercles de qualité, etc.).

3.2. La gestion de l'appareil de production

On rangera dans cette rubrique un ensemble de critères qui conduisent à apprécier les capacités et les performances de l'appareil. Voir le tableau I-9.

Tableau I-9

Critères	Coeff.	– 3	– 2	– 1	0	+ 1	+ 2	+ 3
3.21. Existence et capacité du bureau des méthodes	3							
3.22. Souplesse des procédures d'ordonnancement/lancement	3							
3.23. Suivi des prix de revient	3							
3.24. Degré d'informatisation de la gestion de production	3							

Commentaires du tableau I-9.

Critères : existence et capacité du bureau des méthodes (3.21)
Etroitement associé à la fonction recherche et développement, le bureau des méthodes est non seulement un service d'urgence en cas de carence dans l'organisation de la production, mais aussi un organisme d'études et de réflexion dans une perspective d'optimisation permanente des processus de fabrication, de l'analyse de la valeur, de l'établissement des coûts standards, etc.

Critère : le système d'ordonnancement/lancement (3.22)
Transformant des commandes commerciales de nature et d'origine diversifiées en planning de production cohérent et homogène l'ordonnancement/lancement est un facteur clé du succès à l'export ; de sa fiabilité dépend la crédibilité de l'entreprise : conformité des livraisons, respect des délais, etc.

Cette fonction apparaît d'autant plus essentielle que l'entreprise ne travaille pas sur stock. Dans cette dernière hypothèse en effet, les rigidités de la chaîne de fabrication rendent difficiles ou coûteuses les modifications de plannings ou les modifications en urgence. Or les changements de timing, les commandes spéciales et les commandes en urgence sont le lot quotidien des animateurs de l'export. Un bon système d'ordonnancement/lancement devra pouvoir faire face avec souplesse à ces sujétions sans désorganiser la production d'ensemble en assurant une optimisation des stocks (flux tendu).

Critère : le suivi des prix de revient (3.23)
On évoquera plus loin la méthode de suivi des coûts et la formation des prix à l'export. De ce qui a été dit précédemment, il résulte un impératif de connaissance des coûts directs de production aussi proche que possible d'une réalité, par définition très changeante, en raison même des exigences quantitatives et qualitatives de la clientèle étrangère.

La synthèse de cette gestion de la production, on la trouvera dans l'originalité et la fiabilité d'un système informatique affecté à l'ensemble des fonctions évoquées plus haut : ordonnancement/lancement, gestion des stocks export, le cas échéant C.A.O. (conception assistée par ordinateur), suivi du budget de production, etc.

3.3. La maîtrise des contraintes propres à la production

Nous rangerons dans ce paragraphe l'évaluation de la capacité de la direction et de l'encadrement à diminuer les sujétions de la production, à rechercher l'optimisation permanente des conditions de fabrication, à faire face aux incidents de toute nature susceptibles d'affecter le cycle. Se reporter au tableau I-10.

Tableau I-10

Critères	Coeff.	– 3	– 2	– 1	0	+ 1	+ 2	+ 3
3.31. Capacité de projeter les séries de production économiques optima	3							
3.32. Maîtrise de la politique d'approvisionnement	3							
3.33. Maîtrise des goulets d'étranglement : — main-d'œuvre, — matières premières, — produits semi-ouvrés	2							
3.34. Maîtrise de la politique d'investissement industrielle (capacité de production)	2							

Commentaire du tableau I-10.

Critère : séries de production économiques optima (3.31)
L'objectif est ici de viser le maintien d'un plan de charge permettant la meilleure utilisation des capacités de l'appareil, c'est-à-dire les prix de revient unitaire les plus bas. (Voir figure I-11).

En effet, en deçà d'un certain taux d'occupation de l'outil (aux alentours de 70-75 %), les frais fixes de fabrication pèsent trop lourdement et s'amortissent mal. Au-delà d'un autre seuil (85-90 %) de nouveaux facteurs de coûts vont affecter à la fois les charges fixes (pannes fréquentes, coûts d'entretien majorés, recrutement d'un encadrement complémentaire) et les charges variables (heures supplémentaires à un tarif plus élevé, accidents du travail plus fréquents, accroissement du pourcentage des déchets et des rebuts, taux d'absentéisme accru, etc.).

Figure I-11 : Taux d'utilisation optima

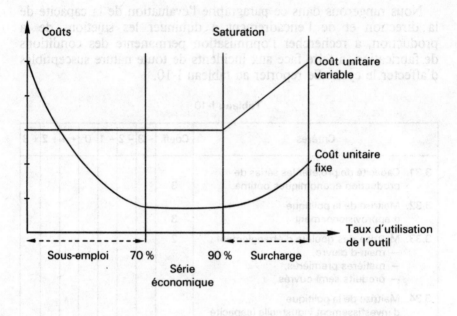

Critère : maîtrise des contraintes (3.32)

On n'insistera jamais assez sur l'importance de la fonction achats dans une optique de développement international. Autant l'amélioration des marges par un accroissement des prix de vente apparaît difficile, notamment dans un climat de récession internationale, autant l'augmentation de la valeur ajoutée par la réduction des coûts d'approvisionnement, par la politique de diversification des fournisseurs, par la modulation dans le temps des achats, et par le marketing des négociations est souhaitable.

La fonction internationale, c'est aussi la recherche des fournisseurs à l'étranger et ce n'est pas un hasard si les leaders français de l'exportation sont aussi dans leur grande majorité les rois de l'import...

Critère : maîtrise des goulets d'étranglement (3.33)

Rares sont les industries qui ne se trouvent pas ici ou là confrontées à des goulets d'étranglement.

— internes :
  - matériel insuffisamment productif,
  - pénurie de main-d'œuvre qualifiée,
  - saturation de l'appareil informatique ;

— externes :
- rupture d'approvisionnements,
- matières premières spéculatives,
- dépendance d'un fournisseur exclusif, etc.

Il importe donc d'apprécier l'efficacité des parades envisagées ou mises en œuvre :
— recours à la sous-traitance de production avec les risques qu'elle comporte,
   — réactivation ou reconversion de matériel mis au rancart,
   — recours à des productions de substitution,
   — recours à une politique prudente de stockage ou de réservation de matières premières, etc.

Critère : maîtrise de la politique d'investissement (3.34)
Ce qui précède conduit à apprécier la capacité des dirigeants à programmer le renouvellement ou la consolidation de l'outil en fonction de besoins prévisibles, intégrant l'international :
— investissement de puissance,
— investissement de productivité,
— investissement de gestion.
La recherche du « right investment » excluant à la fois le somptuaire et le misérabilisme est la condition, à l'heure actuelle, non seulement du succès d'une stratégie, mais tout simplement de la survie de l'entreprise.
Pour mémoire :

Critère : capacité de transfert du savoir-faire
Le commerce international est multiforme. Sur le marché mondial s'échangent certes encore des produits, mais également et de plus en plus de l'immatériel, de l'organisation, de l'ingénierie, du savoir-faire.
Comme pour ce qui est de la politique produit (cf. section 2) l'ensemble de ce qui vient d'être évoqué au plan de la production :
— maîtrise de la conception industrielle des produits,
— maîtrise des méthodes et des process de fabrication,
— suivi des coûts, procédures, etc.
doit pouvoir être formalisé pour être éventuellement transformé, sous la forme d'une délocalisation ou d'un know how, d'une assistance technique et d'une formation, donnant lieu ou non à une redevance. Il s'agit là d'un plus essentiel, susceptible d'être valorisé dans les marchés — et pas seulement ceux du tiers monde — fermés aux produits mais ouverts aux technologies et aux cessions d'usines clés ou produits en mains.

Section 4 : les potentialités commerciales

Nous sommes ici, bien évidemment, au cœur du débat. La stratégie ne peut se définir sans prendre en compte les capacités propres aux fantassins de la première ligne, leur combativité, leur endurance, leur expérience, leur esprit de discipline, etc.

Trois préoccupations doivent, à notre sens, fournir un fil conducteur à cette analyse :
— le dynamisme commercial,
— l'étendue de l'expérience internationale,
— le souci de la maîtrise des risques.

Elle sont résumées dans le tableau I-12.

Tableau I-12 : Potentialités commerciales (résumé)

Critères	Coeff.	– 3	– 2	– 1	0	+ 1	+ 2	+ 3
— Dynamisme commercial	3							
— Etendue de l'expérience internationale	3							
— Capacité à maîtriser le risque • Souci de gestion, • Position interne, • Position externe, • Degré de contrôle de la force de vente • Utilisation des procédures, • Administration des ventes	3							

4.1. Le dynamisme commercial (de – 10 à + 10 coeff. 3)

La mesure du dynamisme s'appuie bien évidemment sur un certain nombre de paramètres classiques :
— taux de croissance du chiffre d'affaires France/étranger,
— taux de croissance en volume,
— taux de croissance des marges,
— taux de croissance du carnet de commandes.

Mais également sur des analyses moins fréquentes :
— délais moyens de réponse aux demandes,
— taux de renouvellement de la clientèle,
— évolution et nature de l'investissement promotionnel,
— fréquence et rendement des visites clientèles,
— taux de renouvellement des produits,
— taux de renouvellement des supports promotionnels,
— pourcentage de publicité affecté par produit et par pays, etc.

4.2. L'étendue de l'expérience internationale (– 10 à + 10 coeff. 3)

Elle peut s'apprécier de diverses manières :

a) En termes quantitatifs :
— Ratio C.A. export/C.A. E.G.
— C.A. export indirect/C.A. export.
— Nombre de pays visités régulièrement.
— Nombre de langues pratiquées.

b) En terme qualitatifs :
— Politique marketing : cohérence des actions de prospection, de ventes et de distribution et de promotion par pays.
— Politique de collecte et de traitement de l'information, économique, commerciale et réglementaire.
— Répartition des ventes par canaux.
— Degré d'utilisation des procédures export et des aides publiques.

4.3. La capacité à maîtriser les risques (– 10 à + 10 coeff. 3)

a) Souci de gestion :
— existence de tableaux de bords,
— analyse A, B, C, etc.

b) Positions sur les marchés :
— Intérieur :
  • part du marché intérieur,
  • couverture géographique,
  • degré de pénétration par segment de marché.
— Extérieur :
  • répartition géopolitique du chiffre d'affaires export.

c) Degré de contrôle de la force de vente.

d) Degré d'utilisation des procédures de protection contre les risques.

e) Rigueur de gestion et d'administration des ventes export.

Commentaires

— La croissance : le taux d'expansion reste encore le meilleur indicateur de dynamisme commercial. Encore convient-il de corriger les enseignements que l'on pourrait tirer d'une croissance spectaculaire qui ne serait due qu'à des facteurs inflationnistes, ou au contraire à une politique de dumping, d'où la nécessité d'évaluer les progressions en volume et en marge.

L'analyse A, B, C du chiffre d'affaires par gamme de produits permettrait également d'identifier les produits leaders qui constituent la pierre angulaire de l'action internationale (voir figure I-13).

Figure I-13 : L'analyse A, B, C du chiffre d'affaires

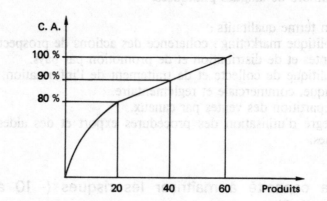

— Le carnet de commandes, en terme de plan de charge, nous donnera de précieuses indications sur l'évolution prévisible de la demande et donc sur le type d'action export à entreprendre selon le degré d'urgence...

— La cohérence du marketing-mix appliqué consiste en une appréciation des capacités du management à intégrer l'ensemble des données à l'action commerciale (produits, production, prix, promotion, distribution, packaging) pour déboucher non seulement sur des plans d'actions commerciaux homogènes et cohérents mais surtout sur leur application, tant il est vrai qu'il y a loin de la coupe aux lèvres, lorsqu'il s'agit de passer, en matière commerciale, de la conception à l'exécution.

— Enfin, nous avons ajouté la préoccupation promotionnelle en l'isolant du marketing-mix. En effet, la sous-estimation de l'investissement publicitaire est à l'origine de bon nombre des échecs de prospection en France ou à l'étranger.

La préoccupation promotionnelle va de la conception des emballages et du conditionnement jusqu'aux insertions presse ou T.V., en passant par les catalogues, les « houses organs », le marketing direct, les politiques d'exposition, de relations publiques, mais aussi par la qualité de l'avant et de l'après-vente, etc.

— Le positionnement interne

Le marché domestique constitue à la fois la base arrière de l'action internationale et un instrument d'incitation à l'exportation.

D'une part, lorsque l'occupation d'un marché domestique atteint un taux significatif de 20 ou 30 %, les gains en parts de marchés deviennent de plus en plus difficiles et coûteux en raison notamment des résistances de la concurrence. Une pénétration de quelques pourcentages sur un marché nouveau exigera des efforts et des investissements beaucoup plus modestes...

D'autre part, le fait d'être dans le peloton de tête sur son propre marché, d'y exercer en quelque sorte un leadership en terme de produits et de prix permet de faire supporter aux consommateurs domestiques une part des charges fixes qui ne seront pas répercutées dans le coûts de l'export, assurant ainsi par cette politique d'économie d'échelle, une compétitivité accrue.

Les bonnes affaires françaises à l'exportation qui se sont hissées au niveau du marché mondial en vingt ans, ont joué de cet avantage de situation pour s'implanter sur les marchés étrangers. Ne nous interrogeons donc pas sur la disparité de prix constatée dans les tarifs des modèles automobiles selon qu'ils sont vendus en France ou en Belgique !

De même la couverture géographique, si elle a moins d'incidence sur la politique de développement international, pose le problème des priorités : convient-il d'achever une implantation nationale avant d'approcher le marché international ? Ou peut-on initier une prospection intensive de marchés lointains alors que la présence de la marque fait défaut dans des zones de richesse vive importantes du territoire national ?

Si la réponse n'est pas évidente, la question mérite d'être posée, et ce, préalablement à tout investissement commercial au-delà des frontières.

— Le degré de pénétration par segment de marché : on appréciera comme un atout supplémentaire l'expérience acquise par l'entreprise sur des créneaux de marchés différenciés, expérience qui témoigne :

a) de sa capacité à s'adapter à des profils de clientèles différents,

b) de sa capacité à approfondir en terme de marketing toutes les opportunités offertes à ses productions,

c) de sa préoccupation de diminuer les risques en diversifiant sa clientèle.

— Le positionnement externe consiste :

a) à juger du niveau d'internationalisation de l'entreprise en fonction de la contribution des marchés extérieurs à son activité :

- C.A. export inférieur à 5 % : simple sensibilisation au marché export
- C.A. export situé entre 5 et 15 % : exportation marginale
- C.A. export situé entre 15 et 30 % : exportation intégrée
- C.A. export supérieur à 30 % : internationalisation croissante ;

b) à mesurer la vulnérabilité de l'entreprise à l'égard des marchés étrangers. L'équilibre des risques suppose en effet une répartition du chiffre d'affaires export qui ne mette pas en cause le devenir de l'entreprise. Exemples :

- Pays industrialisés : 40 à 50 % du C.A. (marchés importants, riches et relativement stables).
- Marchés nouvellement industrialisés : 20 à 30 % du C.A. (pays sensibles aux relations politiques).
- Pays en voie de développement : 5 à 10 % du C.A. (pays à forts risques politiques et financiers).
- Marchés de circonstances : 5 % du C.A. (marchés aléatoires).

— La répartition par canaux de distribution : il s'agit d'apprécier les capacités de l'entreprise à dominer les contraintes propres à chaque circuit ou mode de distribution :

- importateur, grossistes,
- distributeurs,
- centrales d'achats,
- ventes directes,
- chaînes franchisées, etc.

La pratique d'un seul circuit nous incitera à nous orienter à l'étranger vers ce vecteur de distribution quel que soit le marché abordé. Là encore, la cohérence s'impose. On ne fait bien que ce que l'on connaît...

— Le degré de contrôle de la force de vente est un paramètre fondamental dans l'élaboration de la stratégie. Combien de dirigeants qui, en France, disposent d'une force de vente, composée de salariés vraiment exclusifs, parfaitement animés et contrôlés, s'en remettent dès lors qu'ils passent une frontière, à des tiers commerçants locaux, des agents commerciaux ou des V.R.P. multicartes, incontrôlés et incontrôlables.

On reconnaîtra donc avec faveur les politiques fondées sur une maîtrise de la force de vente en France ou à l'étranger :

- mode de rémunération,
- fixation d'objectifs,
- méthodes d'animation et d'incitation,
- suivi des performances, etc.

Il conviendra à cet égard de ne pas se contenter d'une approche superficielle.

Une force de vente composée de V.R.P. n'est pas nécessairement une force de vente incontrôlée, dès lors que les équipes sont attachées depuis longtemps à l'entreprise, que cette dernière leur apporte l'essentiel de leur rémunération, qu'elles sont virtuellement associées au devenir de l'entreprise. Celle-ci, dans ce cas, dispose bien d'une force de vente intégrée... dont elle ne paie pas le prix (social notamment).

— La rigueur de gestion et d'administration des ventes :

- lenteurs dans la présentation des offres,
- services débordés,
- absence de standardisation des documents,
- retours,
- réclamations,
- accumulations d'en-cours,
- expéditions retardées,
- multiplication des réserves sur les connaissements,

sont autant de signes d'une mauvaise organisation de traitement des offres, des commandes et des procédures d'expédition.

Il ne sert à rien de disposer d'une force de frappe commerciale performante si l'intendance ne suit pas.

— Le service administration des ventes (4), outre sa fonction logistique est également à l'export, le correspondant habituel du réseau des correspondants à l'étranger, la plaque tournante en matière de collecte et de transmission des informations techniques, commerciales, économiques et réglementaires. Il assure, encore plus que les vendeurs, la crédibilité de l'entreprise.

Prendre une commande est une chose, bien l'exécuter en est une autre, et singulièrement plus conséquente dans les relations avec la clientèle étrangère, que dans celles que l'on entretient avec son environnement national, par définition plus porté à la tolérance...

_____

(4) Voir chapitre III.

— Le recours aux procédures publiques d'incitation : on examinera ici la capacité de l'entreprise à se servir des procédures publiques d'aide, de soutien à la vente, de protection des risques, de financement de l'exportation et de l'implantation internationale, sans s'y asservir, au point de devenir « l'usine fantôme » dont la seule finalité est de constituer des dossiers pour l'administration.

Entre l'extrême dépendance et le mépris caractérisé vis-à-vis des procédures publiques, il existe une voie médiane : les pouvoirs publics ont mis au point un dispositif important et coûteux pour la communauté nationale, qui a certes ses inconvénients, mais également bien des avantages, et dont ne se font pas faute d'user ceux qui savent s'en servir...

Section 5 : les capacités financières

Le nerf de la guerre est l'obsession du stratège.

Outre le risque financier, lié à la vente au-delà des frontières (risques politiques, risques de défaillance du débiteur, risques de change), l'action internationale a du point de vue financier trois incidences fondamentales :

— Elle requiert un investissement commercial d'autant plus lourd que la stratégie définie est ambitieuse.

— Elle provoque en cas de réussite un gonflement des besoins de trésorerie lié d'une part à la croissance de la production des stocks et des en-cours, et d'autre part à l'allongement inévitable des crédits clients et de la durée des rapatriements des créances, donc des besoins de fonds de roulement et des frais financiers (voir figure I-15).

— Elle associe étroitement les banques et les organismes d'assurance à l'ensemble des opérations de commerce extérieur.

D'où la vigilance justifiée des bailleurs de fonds quant à la santé financière des entreprises qui se lancent à l'exportation : l'exportation est une grande dévoreuse de trésorerie, et la lourdeur du risque écarte du marché mondial, irrémédiablement, les sociétés à la santé financière fragile.

Cette évaluation des capacités de l'entreprise est évoquée en quelques ratios très classiques, présentés dans le tableau I-14.

Tableau I-14

Critères	Coeff.	– 3	– 2	– 1	0	+ 1	+ 2	+ 3
Croissance/chiffre d'affaires	2							
Valeur ajoutée/chiffre d'affaires	3							
Capacité bénéficiaire/chiffre d'affaires	3							
Fonds de roulement/besoins de fonds de roulement	3							
Autonomie financière/endettement sur fonds propres matières premières	3							
Stocks/chiffre d'affaires	2							

Commentaires du tableau I-14.

— La croissance

Une stagnation de l'activité nous invitera à une analyse plus approfondie des causes de ce plafonnement : l'exportation n'est pas un remède à l'absence de dynamisme commercial, à l'obsolescence des produits ou à la mauvaise gestion.

— La valeur ajoutée

Elle mesure l'incidence de la distance sur la politique d'exportation.

— La capacité bénéficiaire

C'est bien entendu le principal paramètre dans l'évaluation des performances de l'entreprise ! Une analyse fine permet notamment de faire la part des charges relevant de l'investissement intellectuel ou commercial dans la dégradation éventuelle de la rentabilité exprimée en terme de marge brute d'autofinancement.

— Le fonds de roulement/besoins de fonds de roulement

L'exportation se traduit toujours par un prélèvement conséquent sur la trésorerie.

Un fonds de roulement pléthorique — il y en a — est l'indication d'une gestion souvent timorée ou d'une sous-estimation des capacités de l'entreprise.

Un fonds de roulement insuffisant est le signe, soit d'une mauvaise maîtrise du cycle d'exploitation, soit d'une sous-capitalisation.

Dans l'un ou l'autre cas, des mesures s'imposent, indépendamment des choix stratégiques à l'export. Ceux-ci, en tout état de cause, devront avoir un caractère excessivement prudent. On évitera toutes les formules d'actions commerciales exigeant des investissements commerciaux lourds ou susceptibles d'affecter une trésorerie déjà tendue.

— L'autonomie financière, dettes moyen et long terme sur fonds propres

Ce ratio mesure les capacités de l'entreprise à s'endetter. Un excès d'endettement à court, moyen et long termes pose le problème de la capacité de remboursement de l'entreprise par le cash-flow. Elle suscite également l'appréhension des prêteurs, devenus en quelque sorte associés de fait et donc réticents en règle générale à courir de nouveaux risques dans des aventures outre-mer.

— Stocks/chiffre d'affaires et son évolution dans le temps

C'est un clignotant intéressant dans la mesure où il introduit une notion d'urgence dans les choix stratégiques.

La persistance d'un accroissement excessif des valeurs d'exploitation entraîne *de facto* une dégradation de la trésorerie (5) qui peut même en quelques mois entraîner l'entreprise vers une issue fatale. Les dirigeants n'ont plus le loisir de réfléchir à long terme, et l'exportation, dans la mesure où elle utilise des canaux à efficacité immédiate, offre un ballon d'oxygène et devient un moyen de survie (recherche d'opportunités et de « coups » de circonstances).

_____

(5) Inversement, l'exportation peut contribuer à alléger les contraintes de trésorerie lorsque celles-ci sont liées à des phénomènes saisonniers : vêtement d'été exportés, pour l'hiver, dans l'hémisphère sud.

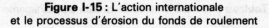

Figure I-15 : L'action internationale
et le processus d'érosion du fonds de roulement

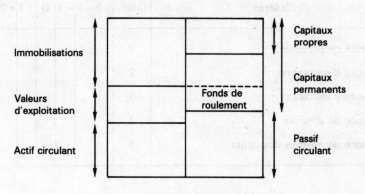

Bilan avant l'action internationale

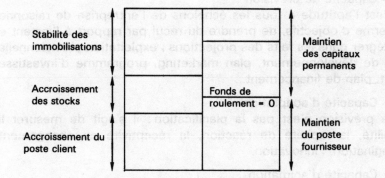

Bilan pendant l'action internationale

Section 6 : Les qualités du management

Le type de stratégie internationale sera enfin dépendant de la qualité des méthodes de gestion et d'animation mises en œuvre par les dirigeants.

Cinq paramètres présentés dans le tableau I-16 nous paraissent à cet égard essentiels :

Tableau I-16 : Les critères de qualité du management

Critères	Coeff.	– 3	– 2	– 1	0	+ 1	+ 2	+ 3
Capacité de prévision	3							
Capacité d'adaptation	2							
Capacité d'animation	3							
Capacité de contrôle	2							
Capacité de maîtrise des coûts	3							

Commentaires du tableau I-16.

— Capacité de prévision

C'est l'aptitude à tous les échelons de l'entreprise de raisonner en terme d'objectifs, de prendre du recul par rapport à l'instant et d'intégrer dans les faits des projections : exploitation prévisionnelle, plan de développement, plan marketing, programme d'investissement, plan de financement...

— Capacité d'adaptation

La prévision n'est pas la planification : il s'agit de mesurer la mobilité, la rapidité de réaction, la réceptivité au changement, l'imagination, l'innovation.

— Capacité d'animation

A l'organigramme pyramidal, rigide, basé sur la définition des postes et la transmission de l'autorité par la voie hiérarchique, s'opposent les structures nouvelles, multiformes, temporaires ou évolutives, où le chef a fait place à l'animateur : l'instruction souveraine au projet partagé, l'action solidaire à la performance solitaire. « Le partage du pouvoir, de l'avoir et du savoir », cher à Pascal Motte, président de Celatose, le « good bye Mr Taylor », lancé par Hervé Sérieyx (6), le recours au projet d'entreprise, la « réflexion stratégique décentralisée », la « fertilisation croisée », le « business intelligence system » mis en œuvre par les tenants de « l'entreprise du troisième type », toutes ces formules conduisent à un nouveau management. On ne se contente plus de motiver mais de mobiliser les hommes et les femmes de l'entreprise, en faisant appel en

(6) *L'Entreprise du troisième type.*

permanence à leur intelligence, à leur imagination, à leur cœur, à leur esprit critique, à leur goût du jeu, du rêve, à leurs dons de création, de communication, d'observation, bref, à leurs richesses et à leurs diversités... (7).

— Capacité d'information et de contrôle

Ce nouveau type de management n'est possible, sans déboucher sur l'anarchie, que dans les entreprises disposant d'un instrument de mesure des résultats et des performances.

En l'absence de tableau de bord, de comptabilité analytique, de systèmes de contrôle des coûts et d'un minimum de gestion informatisée, il n'y a guère de stratégie possible, tout juste des intuitions et des orientations à court terme, au gré des circonstances et des facteurs historiques.

— Capacité de maîtrise des coûts

Qui dit contrôle budgétaire, dit également valorisation et optimisation des coûts dans une perspective internationale.

Toute politique d'exportation va passer en effet nécessairement par la définition d'une structure évolutive de prix.

On n'entrera pas pour l'heure dans la querelle des anciens et des modernes sur les avantages et inconvénients respectifs de la *méthode du coût complet* avec sa ventilation par clés de répartition, plus ou moins arbitraire, des frais fixes par unité de valeur, et la méthode du *direct costing* (voir figure I-17).

Nous nous déclarons d'office favorables à cette dernière qui seule offre la souplesse nécessaire à une bonne maîtrise de l'action internationale.

On rappellera en effet que la méthode du coût direct consiste à ne prendre en compte dans le calcul du coût de base, que les éléments variables directement affectables à l'opération. Les charges fixes et les frais de structures sont pour leur part imputés par opération sous la forme d'un coefficient modulable, en fonction des facteurs propres à la stratégie de l'entreprise et dans le cadre d'une prévision d'activité globale.

---

(7) Dans un but qui reste malgré tout d'essence capitaliste, et ne remet en cause ni la finalité de l'entreprise, ni la propriété des moyens de production... (cf. l'O.P.A. de Schneider sur Télémécanique).

Figure I-17

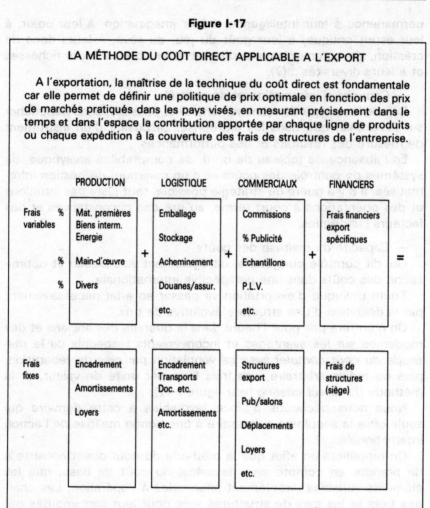

LA MÉTHODE DU COÛT DIRECT APPLICABLE A L'EXPORT

A l'exportation, la maîtrise de la technique du coût direct est fondamentale car elle permet de définir une politique de prix optimale en fonction des prix de marchés pratiqués dans les pays visés, en mesurant précisément dans le temps et dans l'espace la contribution apportée par chaque ligne de produits ou chaque expédition à la couverture des frais de structures de l'entreprise.

		PRODUCTION	LOGISTIQUE	COMMERCIAUX	FINANCIERS
Frais variables	%	Mat. premières Biens interm. Energie	Emballage Stockage	Commissions % Publicité	Frais financiers export spécifiques
	%	Main-d'œuvre	Acheminement	Echantillons	
	%	Divers	Douanes/assur. etc.	P.L.V. etc.	
Frais fixes		Encadrement Amortissements Loyers	Encadrement Transports Doc. etc. Amortissements etc.	Structures export Pub/salons Déplacements Loyers etc.	Frais de structures (siège)

(PRODUCTION + LOGISTIQUE + COMMERCIAUX + FINANCIERS =)

Dans un souci de simplification, un minimum de frais fixes peut être ventilé dès l'origine dans les frais variables (ex. frais fixes de production répartis par unité produits).

Exemple du calcul d'un coût direct et du point mort :

Sur la base d'une prévision en coût direct de production de 100 MF, incluant les frais fixes de production et d'expédition : + 5 % en moyenne de charges logistiques + 10 % de frais commerciaux et 1,2 % de frais financiers, en admettant que les charges fixes de structures soient évaluées à 30 MF décomposées en frais fixes export 10 MF, frais généraux 20 MF, soit 30 MF, le coefficient multiplicateur global applicable aux charges variables serait de

....	100 MF
Frais logistiques	5 MF
Frais commerciaux	10 MF +
Frais financiers	1,2 MF +
	116,2 MF

Le point mort théorique serait atteint dès lors que l'on appliquerait un coefficient aux charges variables de :

$$\frac{30 \text{ MF}}{116,2 \text{ MF}} = 1,2 \text{ %}$$

Mais il ne s'agit là que d'une référence.

L'important est de connaître périodiquement la contribution des ventes France/export à la couverture globale des frais fixes.

Autrement dit, selon la distance, selon les quantités, selon les prix de marchés localement pratiqués, le coefficient applicable pourra connaître des variations considérables.

Nous pourrons travailler à des coûts marginaux, c'est-à-dire à 1,01 % sur le Japon, pays lointain, marché considérable et très concurrentiel, mais nous traiterons à des coefficients de 1,60 % ou de 2 % dans le cadre de contrats spécifiques avec des Etats ou des clientèles moins exigeants ou moins regardants que d'autres.

Le raisonnement marginaliste est donc parfaitement adapté à la variété des sitautions que l'on rencontrera à l'export. Il reste qu'il doit être manié avec précaution : tout abus, c'est-à-dire, la tentation de sous-évaluer systématiquement le coefficient de couverture, risque d'être sanctionné par une dérive importante de la marge et donc de la rentabilité finale.

Il importe, en conséquence, de bénéficier d'un instrument de contrôle de gestion performant, susceptible de suivre de très près ce taux de couverture.

Enfin une excessive décote du niveau des prix de cession des produits exportés risque d'entraîner des redressements douaniers ou fiscaux de la part des autorités françaises ou étrangères compétentes... et de donner prise aux accusations de dumping.

Deux éléments plus subjectifs doivent compléter cette approche semi-rationnelle de la stratégie à partir des facteurs propres à l'entreprise.

a) La valorisation des atouts

On mettra à cet égard en exergue les facteurs d'entraînement les plus significatifs :
— l'homme, l'équipe,
— le « plus » produit,
— l'avance technologique,
— le secteur porteur ou abandonné,
— le potentiel de création,
— les capitaux disponibles,
— la notoriété,
— la qualité d'un réseau,
— la force de vente,
— les méthodes d'animation.

b) Les motivations des dirigeants

L'expansion internationale pour les dirigeants peut être considérée comme une nécessité, eu égard :
— à la dimension du marché national,
— à la position de leader sur le marché,
— aux contraintes d'économie d'échelle,
— comme moyen d'acquérir une notoriété à usage interne,
— ou comme moyen d'équilibrer les risques.

Nous n'évoquerons enfin que pour mémoire d'autres motivations plus sujettes à caution : goût des voyages et de l'exotisme, réponses aux incitations des pouvoirs publics, motivations que l'on n'interprétera pas dans les critères de définition d'une stratégie d'entreprise.

Section 7 : La synthèse ou le scoring des aptitudes

La définition des axes stratégiques, la récapitulation, chapitre par chapitre, de l'ensemble des évaluations réalisées après affectation des divers coefficients applicables nous conduisent à un résumé chiffré des compétences de l'entreprise qui peut visuellement se présenter comme la figure I-18.

L'analyse de ce « scoring » induira d'elle-même les trois axes stratégiques offerts à l'entreprise :

1) L'entreprise dispose d'un maximum d'atouts

L'essentiel de la courbe se situe dans la partie droite du tableau. Cela signifie qu'elle peut prétendre à la mise en œuvre de politiques de développement cohérentes fondées sur ses seules capacités et ses seuls moyens : techniques, technologiques, commerciaux, financiers, humains.

Sa vocation est de s'attaquer aux marchés les plus concurrentiels avec la résolution d'occuper dans les meilleurs délais une part de marché significative, suivant une démarche marketing parfaitement maîtrisée. Nous appelerons cette option *la stratégie de développement autonome* (8).

---

(8) Plus les moyennes s'éloignent de la courbe de la médiane du tableau, plus les atouts ou les handicaps seront importants. Si l'ensemble des points jouxtent en permanence en plus ou en moins la médiane, on aura affaire à une entreprise très équilibrée et vraisemblablement capable d'assurer pleinement son expansion internationale.

Figure I-18 : Diagnostic : évaluation globale
des compétences de l'entreprise pour l'exportation

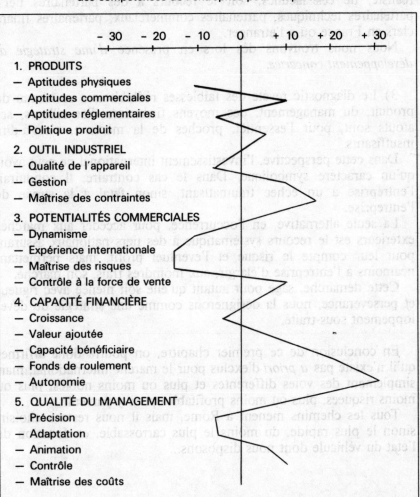

2) La courbe est contrastée, zones négatives et positives se succédant.

L'entreprise dispose d'incontestables atouts mais présente également des lacunes graves susceptibles de rendre inopérante et à la limite dangereuse une expansion extérieure conduite avec ses seuls moyens. La lecture attentive du score nous permet de situer ces lacunes et d'en tirer les conséquences.

L'entreprise n'a pas seule les capacités voulues pour mener à bien une politique indépendante d'expansion extérieure. L'ouverture sur le monde suppose donc, soit une correction préalable, souvent peu réaliste, de ces lacunes, soit le recours à des partenaires tiers, partenaires techniques, partenaires commerciaux, partenaires financiers en France ou à l'étranger.

Nous nous trouvons dès lors en présence *d'une stratégie de développement concertée.*

3) Le diagnostic révèle des faiblesses rédhibitoires au niveau du produit, du management, des moyens financiers. Par ailleurs, ses atouts sont, pour l'essentiel, proches de la médiane, c'est-à-dire insuffisants.

Dans cette perspective, l'investissement international ne peut avoir qu'un caractère symbolique. Dans le cas contraire, il conduirait l'entreprise à un échec traumatisant, sinon fatal à la survie de l'entreprise.

La seule alternative, en l'occurrence, pour accéder aux marchés extérieurs est le recours systématique à des tiers nationaux assurant pour leur compte le risque et l'éventuel profit, mais permettant néamoins à l'entreprise d'élargir, aux moindres frais, son marché.

Cette démarche, sage pour autant qu'elle soit menée avec rigueur et persévérance, nous la désignerons comme une stratégie de développement sous-traité.

En conclusion de ce premier chapitre, on pourra donc affirmer qu'il n'existe pas *a priori* d'exclus pour le marché international, mais simplement des voies différentes et plus ou moins nobles, plus ou moins risquées, plus ou moins profitables pour y parvenir.

Tous les chemins mènent à Rome, mais il nous reste à choisir, sinon le plus rapide, du moins le plus carrossable, en fonction de l'état du véhicule dont nous disposons...

Chapitre II

Le choix des marchés cibles

Introduction : marché mondial et marchés mondiaux

Rares sont les stratèges d'entreprises qui ont effectivement rencontré le marché mondial : IBM, Coca-Cola, Honda, Gillette, Unilever et quelques autres multinationaux sont amenés à raisonner en termes de demande mondiale, leurs produits ayant été définitivement acceptés comme répondant à un besoin quasi universel par une clientèle diversifiée dans chaque pays.

Mais, même au niveau de ces affaires multinationales, grandes ou petites, la stratégie globale s'exprime en autant de stratégies dérivées qu'il y a de marchés segmentés. Le substantif même de multinationale est un aveu, la stratégie est mondiale, certes, mais son application est atomisée en tactiques imposées par les paramètres propres à chaque marché.

Si l'on excepte les produits énergétiques (pétrole ou gaz), les grandes matières premières minérales, les produits de base (café, sucre, blé) ou certains demi-produits (acier, ciment), le marché mondial homogène et sans cloisonnement apparaît bien comme une fiction.

Par ailleurs, pratiquement, au-delà de la pure théorie, pour l'immense majorité des acteurs de la vie économique internationale, le premier critère de segmentation du marché reste politique : les frontières des Etats, ces « cicatrices de l'histoire » continuent de cloisonner la planète ; on dit : le marché américain, le marché canadien, le marché belge, le marché allemand ou autrichien. Cette idenfication primaire est liée à la souveraineté nationale. Celle-ci définit un espace politique, juridique et économique particulier, même si, par ailleurs, ces marchés spécifiques s'intègrent dans des ensembles plus vastes. Selon le cas, les critères de regroupement auront un caractère ethnique : le Sud-Est asiatique ; linguistique et historique : les marchés d'Amérique latine, l'Afrique francophone ; idéologique : les pays d'Europe de l'Est ; économiques et historiques : les pays de la Communauté économique européenne ; douaniers : les pays de l'A.E.L.E., etc. (1).

Toute stratégie d'approche de ces ensembles ou de ces parties devra prendre en compte à la fois les caractéristiques ou sujétions imposées par la géographie et l'histoire au sens large : éloignement, climat, religion, démographie, origine ethnique, richesses naturelles, styles et niveaux de vie, mais également d'autres phénomènes plus contingents : choix politiques, orientations économiques, systèmes idéologiques, etc.

Comment, à partir d'éléments d'analyse aussi disparates, établir une hiérarchie entre quelque 180 pays répartis sur les cinq continents ? Comment procéder à des éliminations et des choix, définir des priorités ? Il ne saurait être question de se livrer à une étude documentaire exhaustive de l'ensemble du « catalogue O.N.U. ». Force est bien de se référer, pour ces choix, à des critères simples, nécessairement imparfaits, mais relativement assortis aux préoccupations essentielles de l'entreprise et à ses propres compétences.

Section 1 : l'évolution récente et ses conséquences

Toute typologie objective des marchés mondiaux doit prendre en compte, outre les caractéristiques originelles évoquées plus haut, des phénomènes d'évolution générale que l'on résumera ainsi :

- la dégradation des mœurs du commerce international,
- la compartimentation des échanges,
- la standardisation progressive des besoins.

---

(1) C'est pourquoi nous pensons qu'il s'écoulera un certain nombre de lustres avant que le mythe bien actuel du grand marché unique devienne une réalité concrète et véritablement vécue par les acteurs de la vie économique. Ceux-ci ne sont en effet pas seulement des producteurs et des consommateurs, mais également des sujets de droit, des citoyens et des motivateurs porteurs d'un inconscient collectif façonné au cours des siècles... L'analyse d'Alain Minc (*La Grande Illusion*, 1988) sur la polarisation de l'Europe autour d'une Allemagne historiquement tout autant tournée vers l'Est que vers l'Ouest... mérite d'être méditée.

1.1. La dégradation du « droit des gens »

La multiplication des Etats dans le monde depuis un quart de siècle, Etats aux ressources, aux potentialités, aux mentalités, aux niveaux de développement très différents, a largement perturbé la notion de commerce international. Cette parcellisation des échanges jusqu'alors réservés à quelques grands ensembles, le plus souvent impériaux, a entraîné une profonde modification des mœurs.

Ce qui, jusqu'aux années 1950, était l'apanage d'un club de gentlemen à l'échelle d'une douzaine de nations − en règle générale libérales − est devenu aujourd'hui la préoccupation de quelque 150 pays plus ou moins viables économiquement et parfaitement conscients de leurs droits souverains, notamment en matière de relations internationales. Le commerce extérieur conditionne en effet la valeur des monnaies, l'approvisionnement du marché intérieur, donc la paix publique et l'indépendance nationale.

En l'absence d'un véritable droit du commerce international, on assiste à une incontestable détérioration des moralités commerciales, entre les agents économiques d'une part, mais également ce qui est plus grave, au niveau des Etats qui cautionnent, quand ils n'en sont pas eux-mêmes les instigateurs, des actes ou des opérations que la loi nationale réprouverait. L'exportation, aujourd'hui, implique en conséquence une bonne dose de cynisme chez les opérateurs en même temps qu'un maximum de précautions juridiques et financières et de garanties de toutes sortes : ce n'est pas un hasard si la plupart des institutions européennes d'assurance-crédit sont nées au lendemain de la Deuxième Guerre mondiale. Par ailleurs, on constate que, seules, dans cet univers où la loi du contrat qu'est « l'autonomie de la volonté » est de moins en moins respectée, les banques entretiennent une certaine sécurité dans les échanges. La parole d'un banquier, sauf cas rarissime, est reconnue sous toutes les latitudes. Obtenir une caution bancaire est difficile mais salutaire, et le succès du crédit documentaire comme instrument privilégié du règlement des échanges illustre ce constat : la banque internationale, dont on se plaît à dire qu'elle ne prend pas de risques, reste en fin de compte la véritable garante de la bonne fin des échanges mondiaux.

1.2. La compartimentation des échanges

La crise économique et monétaire qui, depuis quinze ans affecte l'ensemble de la planète, a avivé les égoïsmes nationaux et renforcé ces comportements contestables : protectionnisme officiel ou officieux, fait du prince, détournement de procédures, dispositions illicites d'incitation, sont devenus monnaie courante même dans les Etats parmi les plus policés et les plus fidèles à l'évangile du G.A.T.T.

Quant aux pays en voie de développement qui contestent notamment dans le cadre de la C.N.U.C.E.D. (2), le credo néo-libéral du G.A.T.T. (3), ils restent néanmoins dépendants d'une économie de marché à l'échelle mondiale et leurs « coups de force » juridiques, à caractère périodique, apparaissent à terme, comme des victoires à la Pyrrhus (ainsi qu'en témoigne, dix ans après les chocs pétroliers, la stagnation de l'économie des pays producteurs qui en furent initialement les uniques bénéficiaires).

Le commerce mondial se développe certes, mais au travers d'un inextricable réseau de réglementations, de décisions *ad hoc* et de pratiques d'un autre âge [troc, compensation, clearing (4), etc.] qui confirme le cloisonnement des échanges. Toute confrontation avec le marché mondial devra donc prendre en compte le phénomène dans sa brutalité ; l'équité n'a pas sa place dans un ensemble de rapports qui fait, pour paraphraser Clausewitz, du commerce international une forme de guerre continuée par d'autres moyens...

1.3. La standardisation des besoins « officiels »

L'excellence et la rapidité des communications provoquent une homogénéisation progressive des styles de vie. Autrement dit, on assiste, indépendamment des structures politiques, religieuses et/ou idéologiques, à une banalisation progressive des comportements, des modes de penser, d'agir ou de consommer.

Le Japon se met de plus en plus à l'habillement à l'européenne et nul doute que les jeunes Iraniennes renonceraient volontiers au tchador, si on leur en laissait le choix, pour un prêt-à-porter moins austère...

Le mythe de l'exportation de surplus et de produits déclassés des pays nantis vers des pays sous-développés a également vécu. Seule la barrière des développements technologiques freine un phénomène général, et encore le succès des ventes d'usines marché en main, ou le transfert de technologie confirme cette évolution. Ce qui se fait au Nord est rapidement adopté par le Sud, même si, au Sud, les besoins

---

(2) Conférence nationale des Nations unies pour le commerce et le développement.

(3) Accord général sur les tarifs et le commerce.

(4) Les pays pratiquant systématiquement le troc selon l'O.C.D.E. sont passés de 15 en 1972 (bloc socialiste essentiellement) à 88 en 1983. Le volume des échanges concernés par les compensations représente près de 3 milliards de dollars, soit 5 % du commerce international, proportion modeste en raison de la part importante du commerce entre pays industrialisés qui ne conçoivent pas, sauf exception, lesdites pratiques.

réels s'expriment souvent en terme de survie et d'aides alimentaires pour un certain nombre de populations. Les besoins affichés par les gouvernements ou les secteurs situés en position de concurrence internationale sont largement inspirés de la demande telle qu'elle se présente dans l'hémisphère Nord. De cela aussi, il convient de tenir compte.

Section 2 : la stratégie et les lois d'évolution socio-économiques

Les observations des pages précédentes, quelque peu réalistes sinon pessimistes, constituent un rappel d'incitation à la prudence et nous amènent dans nos choix de marchés à privilégier le facteur risque. Celui-ci ne doit toutefois pas être exagéré : l'excès de pusillanimité conduirait à l'abstention pure et simple, ce qui est la négation même d'une stratégie de conquête. Il importe seulement en cette matière comme en polémologie de ne jamais sous-estimer l'adversaire, d'avoir mesuré pleinement les conditions d'approche, les défenses naturelles ou artificielles de la place à investir, en un mot d'avoir reconnu le terrain et choisi l'angle d'attaque le plus favorable.

Trois séries de considérations préalables président à ces choix :

a) l'incidence des lois d'évolution économique sur les activités considérées,

b) l'avenir des activités face aux cycles sociologiques des styles de vie,

c) la méthodologie de sélection des marchés cibles.

2.1. La stratégie internationale et les lois d'évolution économique

Il s'agit de positionner notre activité dans l'évolution des cycles de vie des produits et des professions à l'échelle internationale. En d'autres termes, il convient d'observer ce que les lois de l'évolution économique, et notamment de la division du travail, nous imposent comme stratégie fondamentale.

Le tableau II-1 nous permet de nous situer par rapport aux mutations et aux transferts qui, dans le temps, affectent toutes les professions, toutes les productions, toutes les activités.

Tableau II-1 : Générations industrielles et options stratégiques

Stade	Dominante	Caractéristiques	Activités types	Tendances structurelles	Options stratégiques
Première génération de production	Activités tendant à la satisfaction des besoins humains élémentaires (production au service de l'homme)	– Technologie traditionnelle – Equipement artisanal – Contraintes de main-d'œuvre – Dépendance du made in – Vulnérabilité financière – Rentabilité incertaine – Contraintes logistiques – Marchés localisés	– Bâtiment – Habillement – Alimentation de base – Chaussures et cuir – Outillage à main – Fonderie – Chaudronnerie – Mécanique traditionnelle etc.	– Stagnation – Dispersion statique – Elimination naturelle – Concurrence P.V.D. – Rétrécissement et cloisonnement des marchés – Erosion du savoir-faire	– Abandon – Conversion sur une fonction négoce d'importation – Délocalisation – Cession de savoir-faire – Diversification – Investissement sur la marque, la créativité, le made in
Deuxième génération de production	Activités et besoins issus de la première révolution industrielle (la technique au service de la production)	– Consommation énergétique – Intensité capitalistique – Contraintes de main-d'œuvre – Marché international	– Sidérurgie – Métallurgie – Industrie – Transport – Transformation des métaux – Chimie lourde – Textile	– Faible croissance – Stabilisation des marchés – Concentration statique – Mondialisation des besoins – Emergence des N.P.I.	– Restructuration périodique – Intégration verticale – Exportation impérative – Croissance externe à vocation internationale

Tableau II-1 : Générations industrielles et options stratégiques *(suite)*

Deuxième génération de production	Activité à cycle long Sensibilité sociale et politique Demande identifiée Problème de masse critique	Agro-alimentaire Imprimerie de labeur Banque Assurance etc.	Sensibilité au cycle économique Assistance d'Etat	Fusion Investissement de productivité (robotisation, délocalisation partielle)	Intégration verticale Transfert de technologie Joint venture Franchise Absorption Essaimage Spécialisation mondiale
Troisième génération de production	Activités issues des nouvelles technologies *(la science au service de la technique)*	Activités de la matière grise Dépendance de l'environnement intellectuel Cycle court Marché dispersé Demande embryonnaire Vulnérabilité Contraintes financières Recherche et développement, etc. Domination pays industriel Vocation internationale	Electronique et dérivés Informatique Robotique Télématique Chimie fine Biotechnologie Ingénierie Services évolués : loisirs, communications etc.	Croissance rapide Mortalité infantile élevée Dispersion dynamique Interdépendance technologique Maillage international	

Commentaire du tableau II-1

Ces règles d'évolution, si elles ne sont pas des lois, au sens scientifique du terme, correspondent bien à une réalité.

— On constate en effet que les professions liées à la première génération industrielle sont celles qui ont été le plus touchées par la crise récente. Seules ont survécu les entreprises de ces secteurs qui ont su profiter de leur période d'expansion antérieure pour investir en innovation, capacité de production, implantation ou promotion commerciale, et ont pu ainsi résister à la prime de compétitivité offerte aux Etats de transition (Hong Kong, Formose, Corée du Sud, Indonésie, Singapour, Maroc, Tunisie, etc.).

Ont également pu résister au déclin inéluctable, ceux qui ont su accompagner ce phénomène de transfert vers les pays en voie de décollage, des activités traditionnelles.

Enfin subsistent les productions où domine le *made in* (parfums, produits alimentaires de luxe, vins et spiritueux, haute couture) pour autant qu'elles se situent au plus haut de la gamme.

Pour le reste et notamment pour ce qui est de l'ensemble des productions situées en milieu de gamme, la crise aura été fatale (le meuble, la verrerie à main, de moyenne game, la chaussure à l'italienne, la confection traditionnelle auront ainsi payé un lourd tribut à la crise).

Pour ces secteurs considérés en perte de vitesse, l'option internationale n'est guère, hélas ! gratifiante, elle passe en règle générale par des transferts de technologie vers des pays en transition ou à la limite par la reconversion d'une industrie en activité de négoce et qui plus est, de négoce à l'importation.

— Pour les professions de la seconde génération industrielle, le problème est plus complexe car il recouvre une multiplicité de situations et de politiques différentes.

Nous nous trouvons en effet en présence des activités qui doivent leur naissance et leur développement aux technologies et aux méthodes de production inspirées par la première révolution industrielle.

Dans ce xxe siècle finissant, ces professions ont largement dépassé le stade de la maturité. Les concentrations opérées conduisent à la constitution de groupes à vocation internationale pour lesquels l'exportation est vitale ; leur importance pour l'activité nationale est telle que de vives résistances s'opposent aux lois d'adaptation économiques : nous tirerons les meilleurs exemples de l'histoire européenne de la sidérurgie, de l'automobile, de l'imprimerie, de ces dix dernières années.

A l'inverse du premier groupe, l'éventail des stratégies possibles pour ce type d'activité reste très ouvert et dépend beaucoup des qualités propres à chaque entreprise. Il reste qu'à cet égard le vecteur essentiel de subsistance reste l'exportation directe indispensable à la couverture des charges de production et à l'obtention du point mort.

— Quant à la troisième génération industrielle, celle de la haute technologie, elle se situe dans la phase de première croissance sur des marchés qui ne connaissent, pour ainsi dire, pas de frontières. Elle est le fruit d'une innovation tous azimuts s'appliquant aussi bien au domaine technique qu'à celui du management et comportant, en contrepoint des perspectives stratégiques nouvelles (joint venture, essaimage, franchise, etc.) se mariant avec les formes les plus classiques du développement international. En un mot, il s'agit là de professions littéralement portées sur le marché mondial, comme aspirées par une demande elle-même difficilement identifiable.

Cette propension au développement comporte néanmoins sa contrepartie : la vulnérabilité des entreprises qui, en dépit de leur souplesse, se trouvent confrontées, sur des créneaux très évolutifs, à une concurrence technologique impitoyable, obligeant à une remise en cause permanente des techniques, des méthodes et même des stratégies.

2.2. La stratégie internationale et l'évolution des styles de vie

La seconde réflexion est d'ordre marketing. Elle nous amène à positionner notre approche des marchés extérieurs en fonction de l'évolution des styles de vie liée aux grandes mutations culturelles qui se succèdent et s'opposent, avec une périodicité en voie d'accélération constante (voir figure II-2).

Les hommes de marketing connaissent bien la distinction des *périodes dogmatiques* dominées par les valeurs de sécurisation : tradition, réalisme, esprit de compétition, respect de la hiérarchie, succédant aux périodes libertaires où s'imposent des valeurs d'évasion, des idéologies rousseauistes, des inspirations égalitaires ou contestataires.

L'histoire des grands marchés notamment mais également, de manière moins sensible, des P.V.D. (pays en voie de développement), montre bien cette double sinusoïde qui voit dans une période ondulatoire se confronter ces deux séries de valeurs. Sans recouvrir exactement les idéologies politiques, ces conflits de dominantes culturelles sont parfois décalés dans le temps entre l'Est et l'Ouest, et entre le Nord et le Sud mais elles n'en existent pas moins.

Comme la stratégie ne peut négliger les contraintes météorologiques et l'incidence de l'incessant conflit entre les hautes et les basses pressions, de même l'homme de marketing est amené à prendre en compte dans sa synthèse, le rapport de force existant à l'instant « T » et sur la zone ciblée, entre les valeurs de sécurisation et les valeurs d'évasion.

Il va sans dire que la période dogmatique dans laquelle est entrée l'Occident (5) depuis plusieurs années et qui s'impose, quel que soit le régime ou le parti politique au pouvoir, doit conduire une réflexion fondamentale quant à l'opportunité de promouvoir tel type de produits sur les marchés extérieurs suivant tel cheminement et visant telle clientèle.

Bien entendu, cette incidence du culturel sur l'économique est particulièrement sensible au plan des biens de consommation, de l'habillement, de l'alimentation notamment. Ainsi, le retour en force dans les pays industrialisés, et même au-delà, du haut de gamme, des marques traditionnelles, du *made in*, des appellations de terroir et des produits nobles est un phénomène largement observé notamment dans les pays développés, mais il intéresse également les biens d'équipements : à la boulimie des investissements de circonstance, d'imitation ou de notoriété, a succédé un éclectisme averti qui fait de la performance, de la durée et du délai de retour de l'investissement, des facteurs de décision plus importants que le coût ou le design.

Quelle origine donner à ce mouvement de balancier dans les styles de vie dont nous subissons incontestablement les effets ?

La théorie marxiste, conséquente avec elle-même, voit dans ces phénomènes culturels des superstructures engendrées par les mutations économiques en profondeur. En termes simples, les périodes dogmatiques correspondraient à des cycles de dépression économique, les périodes libertaires aux phases de prospérité. D'autres sociologues y voient la preuve de la respiration du corps social : aux périodes de tension succèdent des temps plus faibles ; enfin certains psychologues ont une approche plus freudienne du phénomène, considérant que ces changements de comportement périodiques sont liés aux conflits de génération : il s'agit probablement de se comporter autrement que ses parents...

Nous n'entrerons pas pour notre part dans ce débat d'écoles mais nous tiendrons compte de ce constat non seulement dans la définition d'une politique d'expansion internationale, mais aussi dans l'approche marketing des marchés retenus ; en rappelant toutefois qu'il ne s'agit jamais d'une totale volte-face : chaque période laisse en

_____

(5) Et bien d'autres régimes du monde...

effet en héritage à la suivante un certain nombre de comportements qui se trouvent en quelque sorte assimilés, synthétisés, dans l'attitude dominante.

Le marché américain sous Reagan n'est pas le même que sous Carter, du moins dans les motivations de ses consommateurs, et les signes d'un mouvement de l'opinion japonaise vers les valeurs d'évasion sont sensibles... Il reste que les Etats-Unis, comme le Japon, conservent au-delà des mouvements de surface, des structures, des modes de penser, des comportements qui évoluent beaucoup plus lentement et commandent inévitablement la stratégie. L'analyse des styles de vie a une incidence plus marquée sur les méthodes promotionnelles, sur les politiques marketing que sur la stratégie proprement dite : on ne peut néanmoins en période longue négliger ces mouvements profonds du corps social...

Section 3 : les critères de sélection de marché

Au-delà des facteurs d'environnement touchant à l'évolution structurelle des professions, au positionnement des styles de vie, qui pèsent sur le type de politique à mettre en œuvre, une des phases essentielles de la démarche, réside dans la sélection des marchés cibles.

Quel pays, quel marché, quel groupe géo-économique, quel segment de clientèle, quel facteur privilégier dans ces choix ?

On évoquera à cet égard deux séries de critères :

a) les critères traditionnels liés à la typologie objective des marchés,

b) les critères hiérarchisés en fonction des priorités de l'entreprise.

3.1. La typologie des marchés mondiaux

Elle se trouve décrite dans le tableau II-3.

Commentaires du tableau II-3

Cette segmentation n'a naturellement pas un caractère rigoureux, et toutes les grilles de ce type — plus ou moins raffinées — provoquent immanquablement des contestations, tant il est vrai que toute théorie est « juste dans ce qu'elle nie et fausse dans ce

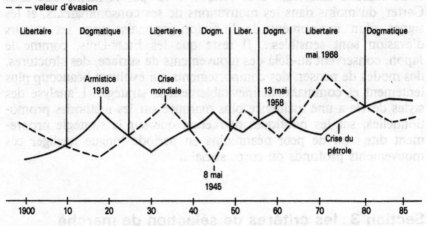

Figure II-2 : Evolution des styles de vie en France depuis 1900

Thèmes	Période libertaire	Période dogmatique
Mode de pensées	— Egalitarisme — Faveur de l'irrationnel — Mythe du naturel — Croyance progrès/culture — Evacuation de la mort	— Hiérarchies naturelles/ compétition/responsabilité — Approche scientifique — Croyance en la stabilité de la nature humaine — Surveillance de la santé
Structures : — Etat — Famille — Université — Religion	— Anarchie — Contestée — Contestée (pédagogisme) — Athéisme — sectes	— Autorité — civisme — Réévaluée — Revalorisation du magister — Retour à l'Eglise institutionnelle
Modes de consommation	— Attrait de la nouveauté — Absence de formalisme — Recherche des plaisirs et satisfaction immédiate — Consommation/gaspillage — Massification — Loisirs passifs (TV, clubs...) — Basse et moyenne gamme dominant — Modernisation de grande série — Méfiance à l'égard de l'industrie	— Retour aux sources, aux produits « historiquement » identiques — Personnalisation et formalisme — Préférence pour la durée de vie — Epargne sélective — Loisirs diversifiés et actifs — Bas de gamme et haut de gamme dominant — Tradition et modernisme de petite série — Acceptation de l'industrie avec le souci de la qualité

Tableau II-3

Pays \ Critères	Industrialisés	Socialistes	P.N.I. « Pays nouvellement industrialisés »	P.S.D. « Pays sous-développés »
1. Géographiques				
— Situation géo.	Zone tempérée	Zone tempérée	Zone tempérée	Zones :
— Population	Décroissante	Décroissante	Méditerranéenne	Tropicale
— Régime politique	Démocratique	Autoritaire	Tropicale	Equatoriale
— Régime éco.	Semi-libéral	Etatique	Equatoriale	Croissante
			Croissante	Autoritaire
			Autoritaire	Etatique
			Semi-libérale	
2. Economiques				
— Richesses naturelles P.M.B. per capita	Faibles > 5 000	Faibles > 2 000	Variables > 1 000	Variables < 1 000
— Cons. énergie per capita	> 4 000 kg EC	> 2 000 kg EC	> 1 000 kg EC	< 500 kg EC
— Productions				
• Priorités { 1	Services	Biens équipements	Matières premières	Matières premières
{ 2	Biens consommation	Matières premières	Biens consommation	Biens consommation
{ 3	Biens équipements	Services	Biens équipements	Biens équipement
{ 4	Matières premières	Biens consommation	Services	Services
— Répartition R.N.				
• Epargne publique	Faible	Forte	Moyenne	Forte
• Epargne privée	Forte	Forte	Forte	Faible
• Consommation	Forte	Faible	Moyenne	Faible
• Investissement	Moyen	Fort	Fort	Faible
• Taux d'inflation	Moyen	Moyen	Fort	Fort
3. Commerce extérieur	Tendance équilibrée	Tendance équilibrée	Déficit variable	Déficit important
— Répartition	*Imp.* *Exp.*	*Imp.* *Exp.*	*Imp.* *Exp.*	*Imp.* *Exp.*
• Matières prem.	Fort Moyen	Moyen Fort	Faible Moyen	Faible Fort
• Produits manuf.	Fort Fort	Fort Fort	Fort Fort	Fort Faible
• Services	Fort Fort	Faible Faible	Fort Moyen	Fort Faible
4. Degré d'ouverture				
— A l'import	Ouvert	Semi-fermé	Semi-fermé	Semi-fermé
— A l'investis.	Ouvert	Fermé	Ouvert	Ouvert

qu'elle affirme ». Quoi qu'il en soit, cette différenciation aussi parlante qu'elle puisse être sur un plan de culture économique ne peut déterminer à elle seule une politique concrète de choix de marchés. Celle-ci dépend fondamentalement des faits, des caractéristiques et des priorités de l'entreprise et donc de ses orientations stratégiques fondamentales.

3.2. La hiérarchisation des critères

Selon les priorités définies par l'entreprise cinq critères nous paraissent essentiels dans la détermination des priorités en matière de choix de marchés cibles.

— Les critères d'accessibilité : physiques, socioculturels, politico-économiques. En quelque sorte, les affinités naturelles des partenaires...

— Les critères de potentialité : dimension de marchés, niveau et perspectives de développement.

— Les critères de perméabilité : degré d'ouverture des marchés aux produits étrangers et, en l'occurrence, français.

- les facteurs objectifs : réglementations, systèmes juridiques et fiscaux,
- les facteurs subjectifs et psychologiques : acceptation du *made in*.

— Les critères de sécurité : politique, commerciale, financière (solvabilité).

— Les critères d'opportunité ou d'antériorité.

3.2.1. Les critères d'accessibilité aux marchés

a) Les facteurs physiques
Coefficient variable selon le produit (voir le tableau II-4).

Tableau II-4

Critères	Coeff.	– 3	– 2	– 1	0	+ 1	+ 2	+ 3
— Climat								
— Relief								
— Distance								
— Equipements logistiques								

On notera ces facteurs externes comme pour l'analyse des critères internes en évoquant les avantages et les inconvénients de ces données à caractères physiques.

Par ailleurs, il convient d'appliquer à ces critères un coefficient permettant d'amplifier l'évaluation en fonction des préoccupations propres à l'entreprise et aux caractéristiques du produit.

Le critère climat-relief, souvent sous-estimé peut être déterminant pour plusieurs catégories de production.

Un simple coup d'œil sur la carte nous permettra d'éliminer ou de retenir *a priori* un bon nombre de pays, dont les caractéristiques physiques et climatiques pèsent couramment dans les facteurs de décisions. Il en va ainsi par exemple des équipements de sport d'hiver, du génie climatique, de certains produits d'alimentation, de textiles (vêtements, chaussures, etc.) et d'équipement de la maison et du bâtiment.

b) Les facteurs socioculturels

On regroupera sous cette rubrique quatre critères essentiels (voir tableau II-5).

Tableau II-5

Critères	Coeff.	– 3	– 2	– 1	0	+ 1	+ 2	+ 3
— Religieux								
— Historique								
— Linguistique								
— Pédagogique								

Les habitudes de vie liées à une fréquentation séculaire, l'identité des formations de base, la communauté de langues, les similitudes dans les conceptions philosophiques et religieuses, même affadies par le temps, constituent de puissants leviers dans les décisions commerciales de vente ou d'achat, leviers plus efficaces, dans bien des cas, que la seule prise en compte des critères économiques. L'Algérie, pays musulman, socialiste, autoritaire, protectionniste, marqué par sept ans de guerre avec la France, aux mœurs commerciales parfois déroutantes, en situation économique précaire, voit chaque année, paradoxalement, se bousculer les exposants français à la foire d'Alger...

Pour les entreprises qui mettent au premier rang les facteurs socioculturels, l'Algérie, qui fut française avant la Savoie, est en effet un marché à privilégier.

Quant aux facteurs historiques, il suffit de se rendre en Europe de l'Est à l'occasion des grandes foires commerciales de Poznan, Leipzig, Budapest ou Brno, pour comprendre, indépendamment de la persistance d'une certaine hostilité à l'égard de l'Allemagne, la position extrêmement forte, sinon monopolistique de la R.F.A., sur la plupart des marchés de biens d'équipement dans ces pays issus de la lointaine Lotharingie.

c) Les facteurs économico-politiques (voir tableau II-6)

Il conviendra de s'arrêter plus longtemps sur le paramètre essentiel que constitue l'examen politico-économique du marché visé. De fait, les quelque 180 nations recensées à l'O.N.U. se divisent *grosso modo* et sous réserve de certaines nuances, en deux catégories de systèmes économiques et deux catégories de régimes politiques.
- Economie
  - pays à économie de marché libérale ou semi-libérale,
  - pays à économie dirigée.
- Politique
  - pays à régime autoritaire (socialiste ou non),
  - pays à régime démocratique (au sens de démocratie parlementaire).

Le croisement de ces deux catégories de critères nous permettra de classer l'essentiel des pays — donc des marchés mondiaux — et par là même de prévoir une stratégie adaptée à chaque catégorie.

On trouvera ainsi :

1. Les pays à économie de marché à régime démocratique : pays européens, Amérique du Nord, Japon, quelques ex-colonies blanches, soit vingt-cinq pays environ.

2. Les pays à économie d'Etat et à régime autoritaire : il s'agit de l'ensemble des pays du bloc socialiste, mais également de bon nombre de pays africains et asiatiques ainsi que la plupart des pays du tiers monde, soit une centaine d'Etats environ.

3. Les pays à économie d'Etat et à régime démocratique : il s'agit d'un type relativement peu répandu et d'un caractère très instable, tant il est vrai que la démocratie parlementaire se conjugue mal avec l'économie d'Etat. On parlera d'ailleurs plutôt à cet égard d'économie mixte (l'Autriche, la Finlande, le Portugal, la France dans l'optique des gouvernements socialistes de la Vᵉ République).

4. Les pays à économie de marché et à régime autoritaire : on trouvera dans cette rubrique des pays d'Amérique latine comme le Chili, mais aussi asiatiques comme Singapour, Formose, l'Indonésie, la Thaïlande. Certains pays pétroliers du Moyen-Orient, les pays du

Maghreb comme le Maroc et la Tunisie, etc., au total une vingtaine d'Etats au maximum.

Il est clair que chacun de ces types de marché suppose une approche différenciée : une stratégie de profit maximum et un R.O.I. *(Return of investement)* rapide donneront la priorité à la dernière catégorie évoquée.

La recherche d'une implantation durable et d'une occupation en profondeur d'un marché conduira à préférer la première catégorie.

Entre ces deux pôles, l'action en direction des deux autres groupes correspondra à des préoccupations particulières : références d'Etat, complément de marchés, recherche d'opportunité, contrepartie de matières premières importées, etc.

Tableau II-6

Coeff.	Facteurs économico-politiques	Note	Coeff.	Note finale
	E.M. + R.A. E.D. + R.A. E.D. + R.D. E.M. + R.A.			

E.M. = Economie de marché
R.A. = Régime autoritaire
E.D. = Economie dirigée
R.D. = Régime démocratique

On dira, en conséquence, qu'un pays est particulièrement *accessible* lorsque économiquement, politiquement, culturellement, historiquement, techniquement et socialement, tout concourt à favoriser les échanges entre les ressortissants de ce pays et le nôtre, lorsque des affinités naturelles conduisent à une certaine *homogénéisation* des deux marchés.

3.3. Les critères de potentialité

Bien entendu, c'est l'analyse de la demande globale qui détermine une première sélection. Celle-ci devra être affinée par l'évaluation de la demande internationale du produit considéré en fonction de la position douanière de chacun des pays.

3.3.1. L'analyse de la demande globale

a) La localisation macro-économique de la demande

Le G.A.T.T. publie chaque année les statistiques du commerce mondial qui permettent non seulement d'analyser l'évolution des principaux courants d'échanges de marchandises, mais surtout de localiser et de classer les grands pôles du commerce international. C'est ainsi que l'on constate que le commerce mondial d'une valeur globale de plus de 2 000 milliards de dollars s'effectue pour 65 % à partir des régions industrielles, dont 45 % vers d'autres régions industrielles. Les pays de l'O.P.E.P. (pays pétroliers) contribuent pour 7 % à ces courants, des P.V.D. pour 16 %, les pays de l'Est pour 9 %. L'analyse en profondeur de ces statistiques permet d'appréhender des flux d'échange de marchandises mais non de services et les déplacements des centres de gravité du commerce mondial, notamment le symptomatique transfert, en quelques années, de la zone de haute pression économique de l'Atlantique Nord, vers le Pacifique et l'Extrême-Orient. Il permet également d'évoquer la structure des balances commerciales par grande région géographique et par secteur de production.

Il reste que cet outil indispensable, comme élément d'analyse macro-économique est difficilement utilisable dans le cadre d'une stratégie de P.M.E.

b) L'évaluation de la demande globale

En l'absence de statistiques précises concernant la demande de ou des produits considérés, le classement des marchés va reposer sur l'utilisation d'indices généraux :
- population : taux de croissance, pyramide des âges, densité,
- P.N.B. : somme des valeurs ajoutées produites,
- P.N.B. par habitant,
- indice de niveau de développement : consommation d'acier, de ciment, de kWh, emplois dans l'industrie, nombre d'automobiles, postes de TV, téléphones, etc.

Il est clair que ces indices, pour instructifs qu'ils soient, ont un caractère trop général, pour autoriser une sélection rigoureuse. Ils ne permettent pas en particulier d'appréhender le marché réel ou potentiel des biens et des services, qui nous intéressent, et ne rendent compte ni de la segmentation de la demande, ni des habitudes de consommation.

3.3.2. L'évaluation de la demande internationale par positions douanières

Parmi les autres méthodes de sélection de marché, l'une d'entre elles mérite d'être signalée car, à la différence des précédentes, elle s'efforce de cerner la demande, non pas en se référant à des grands indices macro-économiques, mais en se fondant sur un historique des importations et des exportations du produit considéré, défini par sa position dans la nomenclature douanière internationale, et ce à partir des statistiques d'échanges C.T.C.I./O.N.U.

Le système « Sélexport » mis au point par le Centre français du commerce extérieur, et aujourd'hui remplacé par « Alix » (voir figure II-7), permettait en effet de connaître pour 1 300 produits industriels référencés dans les statistiques douanières le montant des échanges entre 23 pays industriels représentant 90 % du commerce international et 100 pays de destination (y compris les pays industriels exportateurs) et ce sur une période de cinq ans. Ces statistiques, d'un coup d'œil, offraient un panorama précis sur la position douanière considérée, composée des informations suivantes :

- la demande internationale : c'est-à-dire les importations mondiales et par pays,
- la part des produits français importés dans chaque pays,
- l'offre internationale, soit la position des principaux concurrents sur ces marchés,
- le degré d'ouverture des marchés,
- le rapport des importations sur les exportations.

L'analyse statistique de type « Sélexport », si elle marque un progrès dans l'approche chiffrée des priorités en matière de marché n'est cependant pas exempte de défauts, qui expliquent peut-être l'actuelle révision.

— Elle recouvre des classifications de produits suivant la nomenclature douanière dont l'inspiration est rien moins que marketing et se définit plus en terme de composition physique, qu'en terme d'utilisation pratique.

— Les données sont exprimées uniquement en valeur et de surcroît en dollars. Les variations de cette monnaie ne permettent pas de se rendre compte de la réalité de l'évolution réelle en valeur absolue de ces courants d'échanges.

— Les statistiques connues extraites à partir de données fournies par les pays industrialisés qui représentent l'essentiel des échanges ne concernent que des produits industriels.

— Les statistiques connues sont publiées avec un retard d'un an et demi à deux ans après la clôture de l'exercice considéré.

— Ces données ne constituent pas une évaluation quantitative du marché.

Dans la formule :

marché = production + importation − exportation,

le « Sélexport » quantifie l'exportation et l'importation mais la production reste inconnue. On ne peut donc pas avec certitude interpréter une baisse des importations comme une réduction de marché dans la mesure où on ne connaît pas l'évolution de la production interne.

Les modèles « Alix »

Héritier direct de « Sélexport », le dossier « Alix » avec ses modules « Melodi », « Melofra » et « Meloco » actualise, prolonge et complète l'ancienne formule vieillissante. Mis au point par la cellule traitement et analyse statistique du C.F.C.E. cet outil a été conçu comme un instrument de marketing et d'aide à la décision. Comme « Sélexport », elle utilise la banque de données (Comtrade) de l'O.N.U. qui stocke pour 3 000 produits industriels et agricoles (C.T.C.I. révision 2) et 200 pays, les données douanières d'importation, d'exportation et de réexportation, en valeur... et en quantité.

« Alix » n'a retenu que les éléments en valeur, les données quantitatives n'étant pas unifiées, ni, pour certains pays, déclarées par l'ensemble des Etats. Elle fournit ainsi trois modèles d'analyse du marché mondial pour produits déterminés avec une présentation graphique qui donne une illustration visuelle immédiate de l'information recueillie. Ces trois modèles sont :
— l'étude de l'offre et de la demande mondiale,
— l'étude de l'offre française,
— l'étude de l'offre des concurrents.

Ces statistiques sont disponibles moins d'une année et demie après l'exercice considéré et peuvent être complétées par des extensions à la carte.

Le prix de ces études varie entre 3 000 et 4 000 F, étant entendu que toute étude complémentaire est facturée au coût marginal de quelques centaines de francs.

A titre d'illustration de l'utilisation du système « Alix », on trouvera dans les figures II-7, II-8, II-9, II-10, II-11 le contenu d'une étude spécimen « Alix » présentée par le C.F.C.E., et qui porte sur la position du pneumatique neuf pour l'automobile.

Figure II-7

1. Le marché mondial

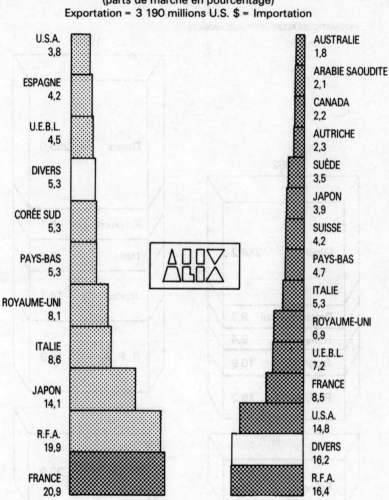

MARCHÉ MONDIAL EN 1986
(parts de marché en pourcentage)
Exportation = 3 190 millions U.S. $ = Importation

Commentaire

On constate que, sur une offre en 1986 de 3 200 millions de dollars, la France demeure le premier exportateur mondial avec près de 21 % des ventes, suivie par la R.F.A. et du Japon, les plus gros importateurs étant la R.F.A. et les Etats-Unis.

Figure II-8

2. L'offre internationale

LES PRINCIPAUX PAYS EXPORTATEURS
(parts de marché en pourcentage)

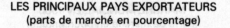

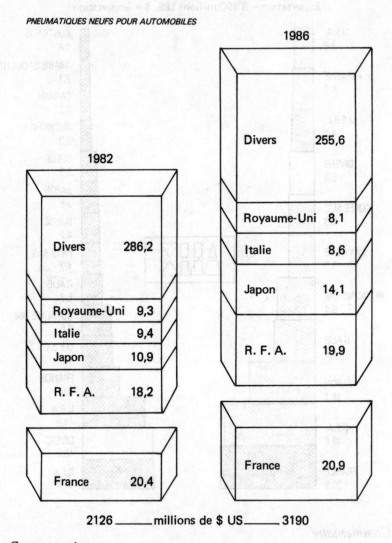

2126 ———— millions de $ US ———— 3190

Commentaire

La production internationale en valeur absolue augmente de 80 %, la France conserve sa part de marché mais la part de la R.F.A. augmente de 2 points, celle du Japon de 4 points.

Figure II-9

3. La demande internationale

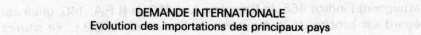

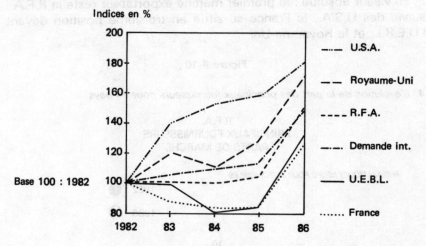

Principaux pays importateurs (classés en 1986)
(millions $)

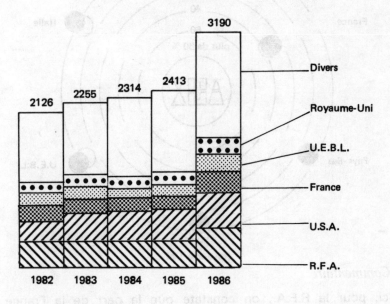

Commentaire

En valeur relative : sur la base 100 en 1982, les Etats-Unis atteignent l'indice 165, le Royaume-Uni 160, la R.F.A. 140, qui à cet égard est proche de la moyenne, la France et l'U.E.B.L. se situent en deçà de cette médiane.

En valeur absolue : le premier marché exportateur reste la R.F.A., suivie des U.S.A., la France se situe en troisième position devant l'U.E.B.L. et le Royaume-Uni.

Figure II-10

4. L'évolution de la part des principaux fournisseurs pour 14 pays

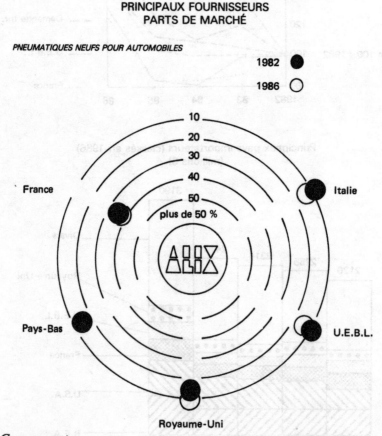

R.F.A.
PRINCIPAUX FOURNISSEURS
PARTS DE MARCHÉ

PNEUMATIQUES NEUFS POUR AUTOMOBILES

1982 ●
1986 ○

10
20
30
40
50
plus de 50 %

France
Italie
Pays-Bas
U.E.B.L.
Royaume-Uni

Commentaire

Ici, pour la R.F.A., on constate que la part de la France a légèrement diminué, de même que celle de l'Italie et de l'U.E.B.L.,

le Royaume-Uni améliore sa position. La R.F.A. reste un marché de
haute concurrence.

Figure II-11

5. L'évolution de la capacité compétitive de la France

EXPORTATIONS DE LA FRANCE

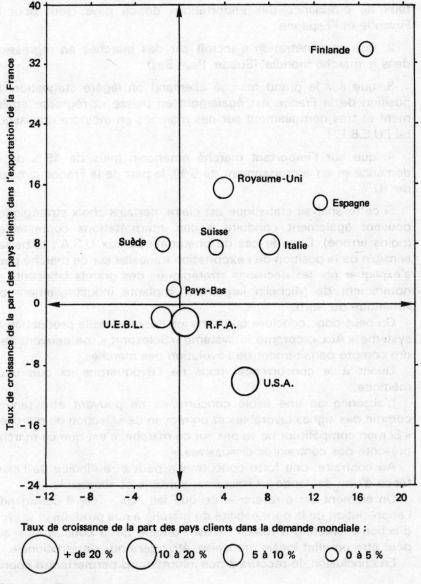

PNEUMATIQUES NEUFS POUR AUTOMOBILES

Taux de croissance de la part des pays clients dans la demande mondiale :

© Les éditions d'organisation

Commentaire

En abscisse se trouve porté le taux de croissance de la part des pays clients dans la demande mondiale et en ordonnée le taux de croissance de la part des pays clients dans l'exportation de la France.

On constate :

1. que sur les marchés grands ou petits en expansion (Suisse, Italie, Royaume-Uni), la part française est en général inférieure au taux de croissance des importations de ce pays, sauf pour la Finlande et l'Espagne ;

2. que sa pénétration s'accroît sur des marchés en régression dans le marché mondial (Suède, Pays-Bas) ;

3. que sur le grand marché allemand en légère stagnation, la position de la France est également en baisse et régresse également et très normalement sur des marchés en moindre croissance tel l'U.E.B.L. ;

4. que sur l'important marché américain (plus de 15 % de la demande et en accroissement de 5 %), la part de la France diminue de 10 %.

Si cette analyse statistique est claire, certains choix stratégiques peuvent également conduire à des interprétations contestables (poids erroné). Dans le cas du pneumatique aux U.S.A., la baisse sensible de la position de l'exportation française sur ce marché peut s'expliquer par les décisions stratégiques des grands fabricants et notamment de Michelin largement implanté industriellement en Amérique du Nord.

On peut donc conclure que sans les données de la production le système « Alix », comme le système « Sélexport », ne peuvent rendre compte parfaitement de l'évolution des marchés.

Quant à la concurrence, nous ne l'évoquerons ici que pour mémoire.

L'absence ou une faible concurrence ne peuvent être tenues comme des signes favorables et un moyen de sélection de marché : « Si mon compétiteur ne va pas sur ce marché, c'est que ce marché présente des contraintes dissuasives. »

Au contraire, une forte concurrence peut être l'indice de l'existence d'une demande intéressante, solvable et accessible.

Un élément est à retenir — ce que fait Alix — car il commande l'appréciation de la perméabilité du marché à nos produits et le type d'action marketing à mener : c'est l'origine de la concurrence qui peut être en effet locale, française, étrangère ou... internationale.

En conclusion, le recours à des informations permettant d'appré-

cier la demande globale, à des indices composites pour l'évaluation
du niveau de développement, à l'analyse des statistiques douanières, et bien entendu à l'obtention des éléments chiffrés tirés
d'études antérieures de statistiques professionnelles ou de la
presse internationale sont de nature à faciliter le classement des
marchés sous l'angle quantitatif. Il reste que ce critère, notamment
pour les P.M.I. qui ne cherchent guère à occuper une part significative de la demande mais à prendre pied sur un marché, n'est pas
fondamental et souvent moins prioritaire que celui de la perméabilité ou du risque. Indépendamment de ces moyens d'appréciation
quantitatifs, l'entreprise s'efforcera de privilégier, selon le cas, la
notion de demande globale qui situe en quelque sorte le degré de
développement du pays, ou la notion de son pouvoir d'achat de
demande spécifique qui concerne le ou les produits destinés à la
consommation ou à l'utilisation locale. (Voir le tableau II-12.)

Tableau II-12

Coeff.	Critères	Note	Note finale
	Demande globale — Faible — Forte — Moyenne *Demande spécifique* — Faible — Forte — Moyenne		

3.4. Les critères de perméabilité
ou critère tenant à l'ouverture des marchés

(Voir le tableau II-13.)
   Il s'agit là dans le double contexte de l'évolution géopolitique et
de la crise économique mondiale, d'un facteur de sélection essentiel,
car il commande non seulement le choix des marchés cibles mais
également le mode de pénétration ou de l'implantation. Selon que le
pays apparaît comme ouvert ou fermé à l'importation, d'autres
formes de présence devront être imaginées.
   Deux séries de facteurs peuvent ainsi déterminer le degré de

perméabilité qui diffère de l'accessibilité, en ce qu'elle s'adresse spécifiquement aux produits exportés.

a) Les facteurs objectifs

Ce sont les obstacles tarifaires ou paratarifaires (droits de douane, fiscalité, contingent, prohibition, contingent tarifaire, dépôt préalable à l'importation, contraintes du contrôle des changes, autorisation préalable, normes, visas, label, homologation, etc.).

Ces dispositifs de protectionnisme direct ou indirect peuvent être parfaitement dissuasifs ou au contraire très incitatifs. Ainsi le *similar nacional* brésilien, au mépris de la « clause de la nation la plus favorisée » — règle d'or du G.A.T.T. —, prévoit d'accorder une sorte de protection spécifique contre toute autre concurrence étrangère dès lors qu'un partenaire industriel aura implanté une activité nouvelle dans le pays. Ce dispositif fait bien des émules dans les pays en voie de développement et même dans les pays, dits de transition...

b) Les facteurs subjectifs

— Obstacles psycho-sociologiques

Autant l'appréciation du caractère dissuasif des mesures de protection réglementaires est relativement aisée à exprimer, autant l'incidence des barrières sociologiques ou psychologiques est difficile à cerner. Certains obstacles de caractère religieux sont nettement circonscrits (alcool ou viande de porc dans les pays musulmans) mais d'autres correspondent à des réflexes nationaux de défense issus de l'inconscient collectif ; ils ne sont pas identifiables et encore moins chiffrables quant à leurs effets. Malgré l'option libérale adoptée, depuis quarante ans, par tous les gouvernements de la R.F.A., un certain nationalisme ambiant pèse sur les relations d'affaires entre le pays et ses partenaires de la C.E.E. Il en va de même du Japon qui, en dépit des efforts de ses gouvernants pour libéraliser l'entrée des produits et des investissements étrangers, se hérisse littéralement devant l'entrée des produits concurrents d'origine étrangère, et ce malgré une occidentalisation de plus en plus affirmée de l'élite urbaine.

Inversement, comment mesurer l'impact des pesanteurs historiques, culturelles, linguistiques dans la priorité des choix de marchés ? Ce facteur, dans l'esprit de nos contemporains est prédominant, il convient d'en tenir compte.

La faveur dans laquelle sont tenus les marchés belges et d'Afrique francophone est-elle en rapport avec la dimension ou la richesse de ces marchés ? Nous avons déjà évoqué ce problème dans les paragraphes précédents.

On ne tiendra donc pas pour négligeable cet aspect subjectif des facteurs de choix, dans la période dogmatique que traverse le monde ; les valeurs de sécurisation dominante conduisent instinctivement les partenaires politiques et commerciaux à resserrer les liens traditionnels de voisinage ou historiques, liens dont on a tendance à s'affranchir dans les périodes de croissance marquées par le souci d'évasion, d'indépendance, de diversification des clients et des fournisseurs.

— L'attrait du *made in*

Le *made in*, on l'a vu pour certains produits, a une vertu de sésame universel (le « goût français », « la création italienne », « la précision suisse », « la solidité allemande »). Ce même *made in* peut être, quel que soit le produit, la clé de certains marchés dont les acteurs sont des familiers des usages des produits couverts par le pavillon national. Le matériel de levage et la machine-outil française n'ont pas une image mondiale particulièrement performante. Elle résiste néanmoins correctement à une concurrence étrangère agressive sur bien des marchés francophones. La tradition est, là, un allié précieux.

Tableau II-13 : Critères de perméabilité des marchés

Coeff.	
	Facteurs objectifs
	— Obstacles tarifaires
	— Obstacles paratarifaires
	Facteurs subjectifs
	— Obstacles psycho-sociologiques
	— Influence du *made in*

3.5. Les critères de sécurité

Qui dit action internationale, dit, par définition, incursion, hors de ses bases, sur un territoire différent et non maîtrisé.

Si l'on n'y rencontre pas nécessairement d'hostilité déclarée, l'entrée d'un tiers sur un marché d'accueil, politiquement, sociologiquement et juridiquement hétérogène par rapport au marché de départ, se heurte à des phénomènes de résistance qui, dans certains cas, s'apparentent au rejet, et ce, quel que soit le degré de développement ou de maturité politico-économique des pays concernés. Ici, l'opposition est plus franche et plus ouverte, là, plus masquée et ou plus hypocrite. Par ailleurs, le modèle économique auquel se réfèrent nos sociétés marchandes néo-libérales n'a pas, dans les faits, la vocation universelle que d'aucuns imaginent. Certains Etats, certains gouvernements autoritaires sont rebelles à nos schémas et à nos modes de raisonnement. Enfin, les mentalités et les systèmes de valeur diffèrent d'une nation à l'autre : « vérité en deçà des Pyrénées, erreur au-delà... ». La conclusion de ces observations d'évidence est que la notion de risque est inséparable de la notion de commerce international. On n'en veut pour preuve que l'extraordinaire développement depuis la guerre de l'arsenal des techniques et des procédures de prévention, d'assurance ou de réparation des sinistres en matière de commerce extérieur. Tout se passe aujourd'hui comme si, avec un réalisme mêlé de cynisme, la présomption de faute était la règle, le respect des contrats l'exception !

Dans ce climat de suspicion généralisée, négliger l'aspect risque, dans les motivations d'une stratégie, aurait un caractère suicidaire. On donnera donc une place éminente à la notion de sécurité parmi les critères de choix. Encore faut-il préciser cette notion. Pour notre part, et sans entrer dans la définition complexe et mathématique des instituts spécialisés dans l'analyse des risques, on distinguera quatre types de faits générateurs d'incidents (voir tableau II-14).

a) Le risque d'« incertitudes » lié à l'instabilité gouvernementale.

b) Le risque de bouleversement politique entraînant l'annulation des engagements antérieurs : changement brutal de régime, révolution, émeutes, anarchie.

c) Le risque d'insolvabilité nationale lié à l'endettement ou au déséquilibre de la balance des paiements du pays d'accueil.

d) Le risque plus permanent lié à la moralité commerciale du pays, sachant qu'un pays taxé de mauvaise moralité n'est pas nécessairement composé de filous mais que le climat des affaires dans ce pays est propice à des comportements contestables de notre point de vue !

On ne manquera pas, en conséquence, d'accorder une place honorable dans la hiérarchie des critères de choix de marchés, à cette notion de risque : il existe à cet égard certains indices (rating) en usage dans les compagnies d'assurance dont la vocation est de couvrir les risques export (COFACE, Hermès, E.C.G.D.), les banques ou établissements spécialisés (B.E.R.I.). Ces indices, on le sait, permettent un classement périodique des pays sous l'angle des risques, politiques notamment (voir tableau II-14).

Nous ferons à cet égard trois observations quant au maniement de ces instruments :

— Ils ont un *caractère objectif* pour autant que la prévision mathématique soit possible dans un domaine où l'erreur humaine est la règle !

— Leur interprétation doit être *dégagée de tout a priorisme d'ordre moral ou idéologique*. En d'autres termes, une dictature féroce, mais assurant une stabilité politique et une bonne solvabilité extérieure est souvent mieux notée qu'une jeune démocratie dont le libéralisme ou la volonté de justice sociale débouche sur le désordre ou le laxisme économique. Il en va différemment lorsque la dictature risque de provoquer à court ou moyen terme une explosion populaire peu propice au développement des affaires...

— L'interprétation de l'indice de risque doit être effectuée *à la lumière du projet de l'entreprise* : s'agit-il d'une volonté d'écrémage superficiel du marché se traduisant par des opération d'exportation à court terme ?

S'agit-il d'investissements à long terme ou encore simplement de profiter d'opportunités que le désordre même suscite ?

Ainsi, les fournisseurs de matériaux de construction ou de verres à vitre, sans parler des marchands de canons, pouvaient donner jusqu'à une date récente un avantage évident aux marchés du Liban, d'Irak ou d'Iran, considérés par ailleurs, et pour cause, pays à gros risques pour toute la communauté économique internationale.

— Par conséquent, plus que l'analyse du risque politique *stricto sensu*, on privilégiera le risque commercial dans son ensemble. Ainsi, dans le cas du Liban évoqué ci-dessus, si les destructions opérées dans le cadre de la guerre civile constituent un avantage du point de vue de certains fournisseurs de verres à vitre, ou de matériaux de

Tableau II-14 : Les principaux risques à l'exportation
frappant les pays

	Coeff.	Note	Note finale
L'instabilité gouvernementale	1		
Les menaces de guerre ou de révolution	2		
L'insolvabilité nationale	3		
La mauvaise moralité commerciale	3		

construction, la désorganisation des circuits commerciaux traditionnels, l'apparition de systèmes parallèles plus ou moins occultes et surtout une certaine dégradation d'une moralité commerciale, due à l'anarchie ambiante seront, bien entendu, dissuasives du point de vue du risque. Pourquoi prospecter un marché intéressant si l'on tient pour quasiment certaine la défaillance du client potentiel ?

Enfin, dans le cas du Liban, le risque politique intrinsèque se double d'un risque monétaire : l'inflation galopante qui, depuis plusieurs années, affecte ce pays jusqu'alors réputé pour sa stabilité monétaire, constitue le plus sûr obstacle à l'exportation.

— L'instabilité gouvernementale est, sans doute, d'un point de vue économique, un moindre mal : un régime fiable politiquement est parfois prospère économiquement.

— Les menaces de guerre ou de révolution ont selon le cas leurs inconvénients... et leurs avantages.

— L'insolvabilité est plus grave car elle se traduira tôt ou tard par un aménagement des dettes.

— Très grave nous paraît être la mauvaise moralité commerciale car elle constitue un état de fait, non dépendant de phénomènes contingents.

A propos de l'évaluation du risque-pays...

La petite histoire crée l'organe

Quand après le premier choc pétrolier les planificateurs des grands groupes, multinationaux ou nationaux relurent leurs plus récentes prévisions, aucun, qu'il fut pétrolier ou cimentier, ne put se vanter d'en avoir envisagé l'événement ou les conséquences. On assista alors à une révision fondamentale des méthodes, mais surtout des objectifs retenus par les économistes d'entreprises, car il devint évident pour tous qu'autant il était vain de prétendre prévoir la majorité des éventualités économico-politiques, autant il était urgent de prévenir l'accidentel, et de donner aux encadrements des grands groupes l'agilité nécessaire pour faire face aux crises imprévisibles. Une brillante génération de planificateurs « didactiques » prit alors la direction des services stratégiques dans les états-majors des grandes sociétés publiques et privées, qui s'attacha à proposer aux responsables les hypothèses d'accidents les plus riches en conséquences positives ou négatives pour leurs entreprises, et non plus les plus probables.

Or, simultanément, l'aggravation de la situation économique mondiale amenait cette même catégorie de spécialistes à tenter de mettre en commun son capital d'informations pour identifier, au moyen d'enquêtes puis de classements, les pays, les régions présentant les plus grands risques. Ainsi les experts des différents secteurs de l'industrie et du commerce en vinrent bientôt à se livrer aux mêmes études que pratiquaient depuis tout temps banquiers et assureurs, sans oublier les fonctionnaires civils ou militaires des « services ».

Et c'est à cette époque que les « services » les plus sophistiqués du monde libre, ceux des Etats-Unis, vinrent à connaître leur plus grave échec : démentant leurs analyses, la révolution islamique balayait le shah d'Iran, emprisonnait les diplomates américains. Des marchés s'effondraient, d'autres, bien différents, s'ouvraient soudain. L'imitation des banquiers ou des assureurs, la soudaine disponibilité en Amérique et en Europe d'analystes militaires chevronnés, donnaient naissance à une discipline nouvelle, l'évaluation des risques pays.

L'organe crée l'habitude

Les experts des « services » sont d'ordinaire rattachés à des bureaux géographiques, ou *boards*. Ainsi en est-il de la plupart des responsables d'études des compagnies d'assurances, des directions internationales des grandes banques. Car il est important pour les financiers de pouvoir procurer des éléments de choix, d'arbitrage, entre des opportunités, des régions : banquiers et assureurs vendent et achètent ce qui se libelle en taux, en coefficients. Ils se réfèrent au « Libor » londonien, véritable taux bancaire international, et classent les destinations des cargaisons en se référant au Lloyd, à l'indice de la COFACE. Il s'agit là, on l'aura noté, des risques transférables, ceux que l'on doit pouvoir partager en négociant une police ou des devises à terme. C'est ce que l'on appelle le *rating* dans les pays anglo-saxons ; *rating* toujours codifié puisqu'il doit rendre les comparaisons possibles, et donc toujours établi selon des critères artificiellement choisis. Ces classifications ont leur pleine valeur lorsqu'il s'agit de prendre des risques identiques dans des environnements quantitativement comparables. Conviennent-ils à la mesure des décisions que va avoir à prendre l'entrepreneur, le chef d'entreprise ? Oui si l'on se borne à une constatation quantitative : aux Etats-Unis 70 % des commandes passées aux cabinets d'analystes de risques sont budgétées, c'est-à-dire correspondent à des dépenses annuelles prévues. Non si l'on analyse réellement le contenu de ces commandes : pour 80 % elles concernent des risques « projets », 10 % étant destinées à vérifier les données fournies par les bureaux de *rating*, le reste étant consacré aux enquêtes de personnes, aux mises en contact, etc.

La demande crée le marché

Si les décideurs américains prennent conseil des professionnels de l'analyse de risque préalable à leurs décisions stratégiques, c'est que celles-ci concernent plus les projets de leurs groupes que le site de ceux-ci. Une autre raison de ne plus se contenter des classements parfois excellents vendus par les bureaux de *rating* est la constatation que les pays eux-mêmes existent de moins en moins comme unités économiques : unions douanières, porosité des frontières, banalisation des produits font qu'il est plus important de s'attacher aux caractéristiques de la zone qu'aux pays qui la composent, à la localisation précise du dépôt ou de l'usine qu'à une nation souvent bien théorique. Mais c'est surtout au projet lui-même, qu'il soit minier, industriel ou commercial que les experts modernes vont s'attacher. La faisabilité politique d'un projet économique s'estimera en délais, en échéances.

Le risque politique d'un pays donné est évidemment différent si l'on doit y installer une aciérie ou un cabinet d'assurances, un réseau de vente ou un chantier, mais les questions reviennent à la même interrogation : « De combien de temps disposons-nous avant de voir se modifier telle composante du paysage politique local ou régional, telle disposition bonne ou mauvaise vis-à-vis des intérêts étrangers, des investissements, de la transférabilité des profits ? Dans combien de temps cette minorité partagera-t-elle le pouvoir ? Quels sont enfin, dans ce paysage, les éléments stables, sur lesquels il est possible d'édifier, ceux au contraire dont la mutation est proche ?

Des réponses vont venir les modifications qui permettront au projet de préserver sa rentabilité dans les scénarios les plus probables. Et les sous-produits habituels de ces diagnostics sont évidents : mesures diverses (formation souvent) destinées à mieux protéger les hommes, les ressources, les actifs technologiques engagés dans le projet, stratégies d'alliances, etc.

François de JERPHANION,
secrétaire général
de l'Association française des analyses de risques pays.

Les classements

Le plus célèbre, celui du B.E.R.I. californien.
Le plus français, celui qui résulte des questionnaires collationnés par l'A.F.E.D.E. (association française des économistes d'entreprise).
Le plus récent, celui mis au point par J.-L. Terrier, rédacteur en chef de N.S.E.
Le plus pratique, celui des Lloyd (M. Quentin Paillard, A.I.I.).

Les associations

Elles réunissent les experts et pourchassent les charlatans :
— Association of political risks analysts, A.P.R.A. A vocation internationale, elle regroupe surtout Des Anglo-Saxons.
— Association française des analyses de risques pays, A.F.A.R. Trois sections rassemblent les spécialistes : l'une de l'industrie et du commerce, l'autre des banques et des assurances, la troisième des conseillers indépendants ou des journalistes.

3.6. Le critère d'opportunité

Bien que doté d'un caractère scientifique contestable, le critère d'opportunité ne peut être éliminé d'une grille de choix de marchés pour deux raisons essentielles.

— La première réside dans le fait que la motivation des hommes et notamment des commerciaux est loin d'entrer systématiquement dans un cadre rationnel et qu'une stratégie internationale doit tenir compte de ces phénomènes qui conduisent, contre toute attente, au succès par la simple rencontre d'un produit avec un marché ou d'un homme avec un autre.

— La seconde raison est que cette forme de choix naît d'une occasion : une foire française, un voyage d'affaires, un dîner en ville, une relation particulière, est pour beaucoup de patrons, notamment de P.M.I., déterminante ; un séjour dans un club touristique de Côte-d'Ivoire fera de ce pays le premier marché d'exportation d'un fabricant pour pièces de bicyclette...

On donnera, en conséquence, à ce critère une importance certes marginale par rapport aux facteurs cardinaux de choix de marchés, mais nous ne passerons pas sous silence les effets positifs de circonstances heureuses et... de la bonne étoile !

3.7. Conclusion

Le coefficient accordé à ces divers facteurs dans le choix des marchés cibles, dépendra bien entendu de la nature des produits, du type de l'entreprise concernée, du style de management adopté par ses dirigeants. Il dépendra surtout de l'axe stratégique défini à l'issue de l'analyse des forces de l'entreprise (cf. chapitre I, section 7 sur le développement autonome concerté ou sous-traités. (Voir le tableau II-15.)

Tableau II-15

	Accessibilité		Politico-écomique				Potentialité	Perméabilité	Sécurité	Opportunité
	Physique	Socioculturelle	E.M. + R.D.	E.D. + R.A.	E.M. + R.A.	E.D. + R.D.				
Développement autonome	XX	X	XXX	X	XX	X	XX	XX	XXX	X
Développement concerté	X	XX	XX	X	XX	X	X	–	XX	XX
Développement sous-traité	–	–	–	–	+	+	–	+/–	+	‡

E.M. : Economie de marché
R.D. : Régime démocratique
E.D. : Economie dirigée
R.A. : Régime autoritaire

Commentaires du tableau II-15

1. Il est clair qu'une *stratégie de développement autonome* implique une maximalisation de la croissance et du profit et conduit l'entreprise à privilégier les critères d'accessibilité physique (exportation directe) et à sélectionner les marchés riches, concurrentiels, perméables et à forte potentialité.

Le souci du risque politique est secondaire, celui du risque commercial prédomine.

Les critères d'opportunité restent secondaires dans la mesure où l'exportateur est amené à pratiquer une politique de développement rationnelle et délibérée.

2. La *stratégie de développement concertée* va privilégier les marchés moins accessibles et plus ou moins perméables dont la conquête implique des alliances nationales ou locales ; le souci de sécurité domine, les marchés visés sont de potentialité variable mais se caractérisent par des possibilités d'affaires exceptionnellement assorties de risques politiques et commerciaux également exceptionnels. Le partage du risque, la réunion des moyens de connaissance, de compétence, complémentaires constituent d'incontestables facteurs de sécurisation pour des entreprises dont on a vu qu'elles n'étaient pas suffisamment armées pour affronter seules le marché mondial.

3. La *stratégie de sous-traitance* présente certes l'inconvénient de n'apporter qu'un complément de chiffre d'affaires d'origine extérieure pour une entreprise essentiellement tournée vers le marché domestique ; cet abandon de souveraineté n'est certes pas glorieux et l'on ne peut pas attendre de miracles quant à la croissance, la rentabilité ou l'évolution de l'entreprise. Du moins cette politique ne comporte que des contraintes limitées ; le souci principal du chef d'entreprise sera naturellement de répondre aux opportunités, de veiller à la bonne réalisation technique et administrative de ces opérations, notamment lorsqu'il s'agira de pays à forte protection directe ou indirecte.

Pour le reste : perméabilité des pays, accessibilité physique ou socioculturelle, importance du marché sont, pour lui, des facteurs secondaires : ils ne concernent en fait que le partenaire français ou étranger à qui l'on a sous-traité l'action internationale.

Chapitre III

La stratégie d'implantation

A la phase « sélection des marchés cibles » succède naturellement une phase marketing qui a pour objet :

1. *d'analyser la réalité de l'existence d'un marché* pour les produits considérés ainsi que les caractéristiques essentielles de la demande.

Cette action comporte en règle générale deux moments :

a) une période d'analyse documentaire *(desk research)*, destinée à recueillir *in vitro* l'essentiel des informations politico-économiques, commerciales, techniques, logistiques, réglementaires et financières, nécessaires à la conduite d'une politique marketing sur les pays visés,

b) une période d'étude de prospection sur le terrain *(field research)* au cours de laquelle le délégué d'une entreprise ou un tiers consultant s'efforce de vérifier la véracité des informations initialement collectées de source nationale (postes d'expansion économiques, Centre français du commerce extérieur, banques, organisations professionnelles, etc.).

Il s'agit en l'occurrence, non seulement de préciser l'importance et les caractéristiques des marchés, mais de définir le mix de l'action commerciale, promotion, publicité, etc. ;

2. *d'initier la matérialisation de la présence de l'entreprise*, de ses produits, et de sa marque par le choix d'une forme d'implantation ou de présence contractuelle négociée par des partenaires éventuels qui participeront à cette occupation du terrain.

Accéder aux marchés extérieurs, c'est en effet choisir la voie qui permettra non pas de vendre — car il est toujours possible de répondre à une commande — mais d'assurer dans les meilleures conditions d'efficacité et de rentabilité la présence durable d'un produit ou d'une marque sur les marchés sélectionnés.

C'est cette recherche du point d'appui c'est-à-dire de la manière dont l'entreprise formalisera son existence sur le marché qui constituera la phase ultime de la stratégie de développement international : conquérir est une chose, occuper durablement la place en est une autre (1).

L'important est donc de concevoir une forme de présence qui soit cohérente avec la stratégie retenue : *autonomie, sous-traitance, concertation.*

On s'attachera donc dans ce chapitre :

— à positionner les types d'implantation correspondant à chacune des trois stratégies évoquées,

— à évaluer les avantages, les inconvénients de chacun d'entre eux et à justifier ce choix à partir des critères de base de la stratégie : produits, marchés, entreprises,

— à consigner dans une grille chiffrée l'ensemble de ces critères de choix en éliminant par avance les facteurs non rationnels que sont l'opportunité, les circonstances, ou... l'intuition.

Section 1 : les critères de sélection des voies d'accès

Nous prendrons en considération essentiellement le degré de contrôle sur l'implantation étrangère et le poids de la structure que représentent les différents types d'implantation.

1.1. Le premier critère : le degré de contrôle

Il y a entre l'implantation internationale et le poker une similitude : il faut « payer pour voir ». En d'autres termes, plus l'on tentera de s'assurer une bonne vision du marché, une maîtrise des prix, de la force de vente, de la distribution, plus l'on visera à capturer durablement une part de ce marché, plus la mise initiale sera lourde, et

---

(1) Même les formules de vente en direct (vente par correspondance ou vente sur appel d'offres) impliquent dès lors que l'on cherche à assurer une présence permanente sur le marché, l'existence d'un relais local : filiale, bureau, correspondant ou importateur dont la mission est de fournir l'information préalable nécessaire, de participer à la négociation, à la promotion, aux dépenses éventuelles de communication locale, d'après-vente, etc.

l'investissement préalable coûteux : le droit au contrôle s'achète et s'achète cher.

Inversement, la renonciation au contrôle, c'est-à-dire en fait la délégation de la souveraineté commerciale à un tiers qui n'est pas tenu de rendre compte, aura pour corollaire un allégement significatif de l'immobilisation financière : si l'on ne voit pas, on ne paie pas.

Entre la création d'une filiale à 100 % installée au World Trade Center de New York et la vente aux magasins Gimbel par l'intermédiaire d'un commissionaire, bureau d'achat à Paris, il y a une différence de nature. A l'investissement et au risque présentés par la première formule correspond une espérance de profit durable et croissant ; à la sécurité et à la gratuité de la seconde démarche correspond une rentabilité modeste et surtout contingente...

On ne peut pas vouloir à la fois la bonne affaire, l'absence de risque et la rente de situation...

Un premier critère de classement des voies d'accès aux marchés extérieurs peut ainsi être recherché dans le degré de contrôle de l'entreprise sur le point d'appui local et, à travers lui, sur le marché.

1.2. Le second critère : le poids de la structure

Le second facteur peut également être imaginé à partir des contraintes d'investissement liées au produit ou à sa distribution.

On peut difficilement commercialiser des automobiles d'une manière permanente sans s'appuyer sur une structure lourde, c'est-à-dire comportant un actif conséquent en termes d'immobilisations techniques ou financières : importateur, concessionnaire, filiale, partenaire industriel, disposant d'aires de stockage, d'atelier de réparation, de stocks, de moyens de promotion, etc.

En revanche, on imagine difficilement de distribuer des « articles de Paris » par le même canal. Il en va néanmoins autrement selon la stratégie adoptée par l'entreprise ou les caractéristiques des marchés : à une certaine époque on pouvait vendre les caravelles de Sud-Aviation au Moyen-Orient par le canal d'un agent à la commission installé à Damas. Il s'agissait en l'occurrence de transactions spécifiques, s'inscrivant dans un contexte politique particulier et où les relations personnelles étaient déterminantes. Inversement, Hermès exporte ses foulards ou autres articles de Paris, essentiellement par le canal de ses filiales ou des boutiques qui lui sont propres. La politique de Jean-Louis Dumas est claire : il y a filiale parce qu'il y a volonté de contrôle de la distribution, investissement commercial et promotionnel liés à la défense et à l'illustration de la marque française.

On pourra ainsi hiérarchiser l'ensemble des canaux de vente à l'étranger en fonction de leur poids et du degré de contrôle qu'ils autorisent en fonction des trois grands types de stratégies évoqués précédemment (voir tableau III-1).

Tableau III-1 : Les types d'implantation

Capacité-service / Contrôle	Lourde	Légère
Intégrée (stratégie de développement autonome)	— Filiale > 50 à 100 % • industrielle • commerciale • mixte — Succursale	— Bureau — Antenne — Représentant salarié — Agent à la commission
Semi-contrôlée (stratégie de développement concertée)	— Joint venture < 50 % — Groupement « soc-commercial » — Joint venture — Piggy-back — Importateur avec prise de participation — Franchise	— Commissionnaire à la vente — Joint venture — Groupement « service export »
Sous-traitée (stratégie de sous-traitance)	*Pays de départ* — Sous-traitance auprès de donneurs d'ordres nationaux — Société de commerce international *Pays d'accueil* — Agent importateur simple — Agent importateur concessionnaire — Licencié	— Commissionnaire à l'achat — Centrale d'achat

— *Implantations contrôlées ou intégrées* pour lesquelles le pouvoir de l'exportateur ne se partage pas : il jouit sur le marché de résidence d'une autonomie quasi parfaite quant à la politique marketing : choix des produits, mode de distribution, fixation des prix et des marges, promotion, transparence du fichier client ; cette forme de présence implique naturellement un maximum de risques, corollaire d'une optimisation du profit dégagé à terme par l'investissement initial.

— *Implantations sous-traitées* où la structure existante et mise en place sur le marché n'appartient pas à l'exportateur. Il n'a sur elle qu'une influence modeste ; la politique de distribution, de prix, de promotion est légalement de la seule responsabilité du tiers local ; seule la possibilité de dispositions contractuelles donc nécessairement aléatoires — où la notoriété internationale du produit peuvent atténuer un rapport de force largement favorable au partenaire étranger — lui est accordée.

— *Implantations semi-contrôlées... ou semi-sous-traitées*, selon le point de vue d'où l'on se place... Il s'agit là d'un ensemble de voies d'approche, le plus souvent matérialisées par des contrats et assurant aux partenaires, en quelque sorte, un partage du contrôle, donc du pouvoir.

La caractéristique de ces *partners-ship*, groupements ou joint ventures réside bien dans la fragilité et la contingence inhérente à toute institution bâtie sur la seule autonomie de la volonté, c'est-à-dire sur une base exclusivement contractuelle.

Nous résumerons ci-dessous en un tableau synoptique les caractéristiques de ces canaux d'implantation privilégiés en liaison avec la stratégie internationale définie antérieurement (tableau III-1).

On peut aussi dresser un comparatif des atouts et des handicaps des formes de présence, du point de vue du degré de contrôle, des caractéristiques de l'investissement et de l'efficacité commerciale de chaque structure (voir tableau III-2).

Sous le chapitre contrôle on trouvera les principaux domaines où s'exercent lesdits contrôles : distribution, clientèle, force de vente, prix, promotion, maîtrise financière.

Pour ce qui est de l'investissement on examinera l'importance de l'apport initial, le degré de formalisme dans la constitution de la structure, le degré de sécurité de l'investissement, l'accessibilité aux aides publiques (forme d'allégement de l'immobilisation), le délai de retour de l'investissement.

Enfin sous le titre efficacité on a rangé les facteurs servant directement l'entreprise du point de vue du pays d'accueil : naturalisation de l'entreprise, degré de pénétration, image locale, qualité des services.

Les signes + correspondent à des atouts et les signes - à des handicaps.

On trouvera plus loin le développement des jugements de valeur exprimés dans ce tableau.

Tableau III-2 : Atouts et handicaps des formes de présence à l'étranger

Les structures \ Les forces	Contrôle						Investissement						Efficacité			
	Distribution	Clientèle	Force de vente	Prix	Promotion	Finance	Poids	Formalisme	Sécurité	Aides publiques	Rent. imméd.	Rent. à terme	Naturalisation	Pénétration	Image locale	Qualité service
INTÉGRÉES — Filiale	++	++	++	++	++	++	--	--	--	++	--	++	++	++	++	++
Succursale	++	++	++	++	++	++	--	-	-	-	-	++	-	+	+	+
Bureau	+	+	+	+	++	++	+	±	+	-	+	-	-	-	-	+
Représentant salarié	+	+	+	+	+	++	-	+	+	-	+	-	-	-	-	-
SEMI-CONTRÔLÉES — Groupement export	+	±	±	±	+	±	+	-	+	+	-	+	-	-	-	+
Piggy-back (portage)	-	+	-	+	-	-	+	+	+	-	+	-	-	-	±	+
Franchise	++	++	++	++	++	-	--	-	+	-	-	++	+	++	+	+
Agent commissionnaire	+	+	-	+	-	-	+	+	-	-	++	-	-	-	-	-
Commissionnaire export	-	-	-	+	-	-	+	+	+	-	+	-	-	-	-	-
SOUS-TRAITÉES — Société commerce international	-	-	-	+	-	-	+	+	+	-	+	-	-	-	-	-
Importateur	-	-	-	-	-	-	+	+	+	-	+	+	+	++	+	++
Licencié	-	-	-	-	-	-	+	+	+	+	++	-	+	+	+	+
Sous-traitance	--	--	--	--	--	-	+	+	++	+	+		-	-	-	-

Section 2 : les implantations intégrées

Nous allons passer en revue cinq formes d'implantation intégrée en tentant de dégager les avantages et les inconvénients de chacune d'elles.

2.1. Les filiales

La filiale est une société de choix local contrôlée par une autre société, dite maison mère, en l'occurrence de droit français et qui entretient avec cette dernière des relations permanentes, commerciales, techniques, financières et humaines.

Société de droit local : la filiale est bien une personne morale dotée de la personnalité juridique, financière et fiscale et bénéficiant en quelque sorte d'une véritable citoyenneté dans le pays d'accueil.

Contrôlée : notre approche diffère quelque peu de la définition juridique de la filiale, « est réputée filiale toute société en droit français dont plus de la moitié du capital appartient à une autre société » (loi du 24 juillet 1966). Du point de vue fiscal la notion de filiale est beaucoup plus large puisque le régime de faveur dit des sociétés mères est accordé automatiquement aux sociétés détenant au moins 10 % du capital d'une autre entreprise.

Dans une perspective marketing, nous donnerons à cette conception du contrôle une acceptation plus large. Dans les sociétés françaises privatisées en 1986 la querelle sur les noyaux durs montre qu'une société acquérant une participation, même largement minoritaire, est à peu près assurée de régner sur un groupe dont le capital est atomisé. On peut par ailleurs détenir à 100 % une affaire, sans pour autant véritablement la contrôler, dans la mesure où il manquerait ce complément essentiel de la participation que sont l'étroitesse et la permanence des rapports financiers certes, mais également des liens techniques, commerciaux et humains, s'inscrivant dans une stratégie d'ensemble. En d'autres termes, il faut que règne entre la mère et la fille une ambiance familiale. Dans le cas contraire, on se trouve en présence d'un conglomérat international, à vocation essentiellement financière ce qui n'est pas en soi critiquable mais ne correspond pas à l'esprit d'une stratégie multiforme de groupe intégré.

La filiale agit parfois en commissionnaire exportateur, en écoulant, pour le compte de la maison mère, ses produits et moyennant le versement d'une commission. Le plus souvent — et c'est en effet l'intérêt de formule — elle se comporte en agent importateur, en quelque sorte privilégié : elle achète ferme à la maison mère au prix export ou plus précisément au tarif filiale parfois favorable à cette dernière, parfois la pénalisant selon la stratégie de l'entreprise sur le marché considéré, ou en fonction d'autres considérations telles que la valeur de la monnaie, le régime fiscal, les prix de marchés, etc.

Servant de « banquier pour ses enfants », il arrive que la maison mère dote sa fille d'un fonds de roulement convenable lui permettant de s'établir, mais il peut se faire aussi que les parents soient plus regardants et préfèrent, à la dotation en capital, l'octroi à leur fille de délais de règlements sur achats particulièrement attrayants : l'investissement d'un fonds de roulement dans une filiale de vente étant, en règle générale, l'immobilisation la plus significative (allant jusqu'à 50 % de l'investissement), l'allongement des délais de paiement permet à la mère de réduire ainsi sa dotation initiale. Il s'agit en fait d'une illusion d'optique : la maison mère voit s'accumuler les traites sur la filiale, elle obère sa trésorerie ou mobilise ses créances, ce qui réduit sa rentabilité.

En outre, en consentant des crédits fournisseurs de quatre, cinq ou six mois à sa filiale, elle conduit le gestionnaire de cette dernière à vivre anormalement et à prendre des habitudes laxistes dont il risque de se défaire difficilement par la suite.

Enfin, n'oublions pas que les clients locaux sollicités par la filiale, surtout lorsqu'elle émane d'une P.M.I., ne manqueront pas de s'intéresser à son bilan. Un fonds de roulement étriqué s'ajoutant à des pertes initiales d'exploitation dans une société sous-capitalisée n'incite pas à la confiance...

A cet égard, les pratiques évoluent : dans le monde de la petite et moyenne industrie, on est traditionnellement plutôt hostile à l'investissement en capital, surtout à l'étranger, d'où le recours à des financements temporaires, à des crédits interbancaires de fonctionnement et divers palliatifs évitant l'immobilisation de fonds propres.

Toutefois la politique suivie par les pouvoirs publics visant à lier l'aide fiscale et financière (voir plus loin tableau III-3) à l'effort des entreprises pour immobiliser du capital dans l'aventure de l'intégration internationale, le développement de la coopération interbancaire et surtout les nouvelles formules de financement de haut de bilan (prêts participatifs, capital risque et autres « prêts subordonnés en devises »), semble modifier progressivement les comportements des chefs d'entreprises qui ne se contentent plus aujourd'hui d'investir dans la filiale le montant minimum exigé par la loi locale.

La filiale : pour ou contre

Pour

a) Les arguments tirés de l'exercice du contrôle.

La filiale reste une structure privilégiée de pénétration de marchés par sa maîtrise :
— de la politique des prix,
— de la distribution,
— de la promotion,
— du management,
— de la fiscalité,
— de la gestion et de la trésorerie.

b) Les arguments tirés de son statut de société de droit local.
- Permanence de l'établissement qui rassure la clientèle, quant à la pérennité de l'implantation.
- Transparence de l'établissement : bilan, compte de résultat, etc.
- Naturalisation des actes : facturation en monnaie locale, litiges réglés selon le droit local, etc.
- Participation aux avantages réservés aux nationaux : organisations professionnelles, privilèges fiscaux, crédits préférentiels, etc.
- Partage éventuel de l'effort financier avec des minoritaires locaux.

Tableau III-3

Avantages fiscaux
Implantation : nouvelles disposition

Le collectif budgétaire 1987 apportait de nouveaux aménagements au « cadeau » fiscal à l'investissement commercial à l'étranger bien connu sous son nom de code 39 octies...

Pour ce qui est des investissements porteurs « d'exportations », le Code général des impôts prévoyait deux cas de figures :

a) *L'investisseur hors C.E.E.* pouvait provisionner en franchise d'impôts pendant cinq ans le montant de l'investissement avec réintégration par cinquième à l'issue des cinq années suivantes. Cet avantage se résumait en quelque sorte en un crédit de l'Etat à dix ans sans intérêts et avec une franchise de cinq ans à 50 % — aujourd'hui 42 % — du montant de l'investissement...

Cette faculté a été soumise à un agrément tacite de l'administration. Désormais, l'agrément est supprimé, quel que soit le montant lorsqu'il s'agit d'un premier investissement transféré dans le pays et n'est requis que pour le renforcement de l'implantation.

b) *L'investisseur C.E.E.* était moins favorisé puisqu'il ne pouvait déduire que les pertes de la filiale suivant un mécanisme analogue : cinq ans de provision et réintroduction par cinquième, du sixième au dixième exercice.

Mais le dispositif va plus loin, il remplace le système de réintégration automatique des provisions par une formule de remontée permanente des pertes qui correspond à un commencement de fiscalité de groupe. La réintégration des pertes au détriment de la maison mère se fera au rythme de la réalisation des bénéfices de la filiale et au plus tard, la dixième année.

Avantages
Tout nouvel investissement donne droit à provision.

Inconvénients
Si une année la filiale dégage d'importants bénéfices, ceux-ci seront entièrement consommés par la réintégration des pertes initiales.

De toute façon la discrimination demeure entre implantation hors C.E.E. nettement plus favorisée (déduction de l'investissement) et C.E.E. (déduction des pertes).

Contre

a) Le risque

Echec commercial, donc financier (perte du capital) ; risque politique : nationalisation, révolution, non-transfert. Risque d'autant plus sensible que l'implantation donne lieu à une immobilisation patrimoniale.

b) Le coût

De quelques milliers de francs de budget annuel pour un simple bureau, le coût de l'implantation atteint des dizaines de millions dans le cas d'une unité industrielle lourde.

c) Le formalisme

Le droit à l'erreur existe, mais doit faire l'objet d'une optimisation coûteuse : étude de marché, étude de faisabilité, étude juridique et fiscale, recherche de partenaires, démarches diverses auprès des autorités administratives en France et à l'étranger, négociations avec les banques, etc.

En somme, c'est un parcours infiniment plus astreignant que la négociation d'un contrat de distribution.

En conclusion, la filiale de vente va s'imposer aux entreprises capables d'adopter une stratégie de développement autonome, quand bien même la filiale intégrerait un actionnaire local minoritaire. Elle se justifiera sur des marchés à fort potentiel de développement : ouverts, perméables, accessibles et sécurisants, donc très concurrentiels, c'est-à-dire en bref, à quelques-uns des quelque 20 pays à économie de marché.

Elle concernera des gammes de produits exigeants en terme de protection et de valorisation de la marque, impliquant des contraintes de stocks, de S.A.V. et de distribution, comportant une forte valeur ajoutée et autorisant des marges unitaires assurant un retour convenable de l'investissement initial.

Pour sa part, la filiale de production à vocation de création et de valeur ajoutée locale se justifiera sur des marchés protégés et peu accessibles et dans les pays à régime politique sécurisant par leur stabilité et offrant un minimum de dispositions libérales au bénéfice des investisseurs.

Le principe controversé de la division internationale du travail conduira à préférer cette formule d'implantation :

— pour les produits présentant une valeur ajoutée médiocre et pour lesquels les coûts de transport et de matières représentent un facteur important du prix de revient ou pour les produits dont les éléments constitutifs des coûts directs (matières premières et main-d'œuvre) sont essentiels et imposent une installation à proximité des gisements

d'approvisionnement ou de travail ou même de technologie (Japon et U.S.A.),

— pour les entreprises manifestement capables de maîtriser une politique d'implantation lourde à l'échelle de la planète : taille critique minimum, surface financière, management performant. Encore convient-il aujourd'hui d'atténuer cette distinction entre filiale de vente et filiale de production.

Où classer en effet ces nombreuses sociétés qui, tout en assurant une part d'exportation de la maison mère, intègrent une importante valeur ajoutée locale : filiales de montage par exemple ? Elles importent et commercialisent certes, mais montent également dans des ateliers locaux et utilisent un équipement et un personnel parfois nombreux : « Je suis oiseau, voyez mes ailes... Je suis souris, vivent les rats... »

Pour les pouvoirs publics, la question est d'importance : la pente naturelle des politiques incitatives est en effet de favoriser les filiales de vente par souci d'économie de devises, d'enrichissement intérieur, et d'amélioration de l'emploi, par rapport aux filiales de production, dont l'implantation se traduit par une évasion de capitaux, la création d'emplois à l'étranger, et le transfert de technologies. Des avantages financiers et fiscaux différenciés sont les contreparties de ces orientations.

On est toutefois conscient de la difficulté de mettre en œuvre ces dispositions, notamment dans le cas des filiales mixtes comportant une part d'exportation et une part de valeur ajoutée locale ; d'où la notion introduite depuis une dizaine d'années d'investissement Ipex, c'est-à-dire porteurs d'exportations, définis comme capables de générer en cinq ans en exportations cumulées un multiple de l'investissement international (trois à quatre fois selon les périodes).

« L'investissement de puissance » c'est-à-dire strictement industriel n'est pas oublié, surtout lorsqu'il se situe dans des pays en voie de développement, mais la faveur des fonds publics va bien entendu aux investissements à vocation commerciale, vecteurs d'exportation.

Il serait difficilement défendable, sous l'angle politique, en effet, d'encourager par le biais du contribuable, pour un pays qui compte deux millions de chômeurs, la création de milliers d'emplois chez nos voisins, amis, et principaux concurrents. Mais il serait également préjudiciable à la compétitivité de notre économie de se désintéresser totalement de l'investissement de puissance... notamment dans les P.N.I. et les P.V.D.

2.2. La succursale : moins d'avantages, plus d'inconvénients

A la différence de la filiale, la succursale n'a pas la personnalité juridique. Dans la pratique, la législation locale détermine la nature juridique exacte de cet établissement local qui, le plus souvent, est astreint à des obligations proches de la filiale : obligation de publicité, capacité et responsabilité de commerçant, soumission à la fiscalité locale, etc.

En conséquence, on peut considérer que la succursale obéit aux mêmes contraintes que la filiale du point de vue du coût, du risque et du formalisme mais ne bénéficie pas des mêmes avantages : absence de naturalisation locale ; simple résident, elle sera toujours du point de vue juridique, fiscal et financier et notamment du contrôle des changes, un citoyen de seconde zone, d'où la relative désaffection de nos exportateurs pour cette forme d'implantation directe.

En revanche, dès lors qu'une filiale est installée, la succursale peut constituer un excellent support de distribution locale intégrée. Elle pourra néanmoins se justifier dans des cas où l'absence de personnalité juridique peut être considérée comme un atout : en cas de nationalisation, il est difficile de s'approprier une personne qui n'existe pas... Il reste qu'en période révolutionnaire, les nouveaux gouvernants ne s'arrêtent guère à ce genre de considérations et « l'Etat de droit » ne résiste pas longtemps aux appétits terrestres ou aux nécessités idéologiques du pouvoir de fait...

2.3. Le bureau ou l'antenne : la fausse solution de facilité

A la différence de la filiale ou de la succursale, le bureau n'accomplit pas des actes de commerce ; il n'est pas commerçant. En conséquence, il ne bénéficie d'aucune reconnaissance juridique ou financière.

Le bureau ne peut pas — théoriquement — employer des salariés, disposer d'un compte en banque, effectuer des achats ou des ventes, percevoir des commissions. La seule personne en l'occurrence reconnue est la personne physique qui occupe le bureau et son mandataire, l'entreprise qui l'a établi.

En fait, il s'agit bien souvent d'antennes provisoires animées par le délégué local de la firme, laquelle se donne une apparence d'établissement stable (adresse, téléphone, papier à lettres, etc.) vis-à-vis des tiers et notamment de la clientèle, sans pour autant en respecter les formes ni en payer le prix.

Dans des systèmes juridiques assez laxistes, le caractère flou et la non-transparence de l'implantation peuvent permettre d'échapper à bien des sujétions administratives, financières ou fiscales : « pour vivre heureux... ».

Toutefois, la plupart des législations nationales et les conventions fiscales bilatérales ont permis de se prémunir contre les risques d'évasion financière ou fiscale que présente l'installation d'antennes locales d'entreprises étrangères.

Lorsqu'il y a présomption d'actes de commerce, le bureau est assimilé à un établissement stable et soumis ainsi à toutes les obligations au regard du droit des sociétés, des réglementations sociales et fiscales, et du contrôle des changes, sans qu'il bénéficie pour autant des avantages offerts aux sociétés légalement constituées.

En conclusion, la création d'un bureau nous paraît se justifier dans un certain nombre de situations :

— *Sur les* marchés étatiques *qui n'autorisent pas d'autres formes de présence ou à l'autre bout de l'échelle, les* marchés ultra libéraux, *micro-marchés en voie de disparition rapide, paradis fiscaux, ou Etats commerçants, tel le Liban... d'avant 1976.*

— *Sur des* marchés lointains et difficiles *et pour des produits à fortes contraintes, exigeant un suivi de la distribution sans supporter les charges et les risques de l'implantation intégrée.*

Le rôle de ces bureaux est alors essentiellement d'animer et de contrôler les distributeurs locaux ; un certain nombre d'entreprises japonaises ont établi ainsi à Bruxelles ou à Rotterdam, des bureaux qui constituent un interface entre les importateurs européens et leurs commettants d'Extrême-Orient.

— *Comme* implantation provisoire *dans l'attente de l'implantation définitive. La création d'une structure permanente à l'étranger implique une phase d'études et de préparation au cours de laquelle la faisabilité de l'investissement sera examinée.*

Il est souhaitable qu'au cours de cette période, une certaine existence officieuse soit donnée aux produits, à l'entreprise, à la marque, vis-à-vis de la clientèle potentielle, des pouvoirs publics ou des prestataires de services auxquels on a recours...

A l'issue de cette phase, si l'étude est positive, le bureau a pu déjà acquérir une certaine notoriété et est transformé en établissement stable, juridiquement reconnu.

Dans le cas contraire, les occupants pourront fermer le bureau... sans autre forme de procès et sans être contraints de procéder à la dissolution d'une structure juridique... après avoir, bien sûr, averti leurs correspondants locaux de leurs intentions finales : retrait définitif du marché ou sous-traitance à des agents locaux par exemple.

2.4. Le représentant salarié : une superstructure

En tant que personne physique attachée à l'entreprise qui l'emploie et le rémunère, le représentant salarié présente des *avantages* évidents :

— formé dans l'entreprise, il en connaît bien les produits, les structures, les méthodes, et l'esprit de management,

— résidant sur le marché, il constitue un instrument idéal de vente et d'information pour l'exportateur,

— le loyalisme du salarié ne peut, par définition, être mis en doute. Il sécurise l'entreprise, notamment lorsqu'il s'agit de commercer avec des marchés lointains ou à moralité commerciale douteuse...,

— le producteur reste maître de ses prix et de ses conditions de vente,

— l'image du produit et de la marque est mieux défendue.

Les *inconvénients* de la formule ne doivent toutefois pas être négligés :

— problème de coût : le représentant est une charge fixe par définition et l'entreprise assure par ailleurs tous les coûts induits : prospection, promotion, stocks, etc.,

— problème de service : la zone d'influence est nécessairement étroite et les services que peut remplir une personne physique sont limités à la vente et à l'information.

En conclusion, l'entretien d'un employé local peut se concevoir pour des produits n'exigeant pas de services élaborés avant ou après-vente ou comme accompagnement promotionnel valorisant l'image France ou celle de l'entreprise.

Il se justifie en tant que superstructure sur des marchés lointains dont la distribution est difficilement contrôlable à distance.

De toute évidence, le faible rapport coût/performance fait du représentant salarié « un luxe », pour industrie également de luxe, ou d'équipements sophistiqués (armement) et à forte marge ; il peut être précieux dans le cas de produits justifiant un courant régulier de transactions, il l'est moins dans les affaires au coup par coup. Le plein emploi du salarié est ici loin d'être assuré et il est beaucoup plus avantageux dans ce type d'opérations ponctuelles de disposer d'indicateurs locaux fidèles et de déplacer, à l'occasion, les salariés du siège :

« Un correspondant actif bien introduit et réussissant ses coups même s'il favorise parfois la concurrence est préférable au représentant fidèle mais malheureux. » (2)

2.5. L'agent à la commission : un allié provisoire

A la différence des formes évoquées plus haut, l'agent n'est pas une émanation de l'entreprise exportatrice : c'est un commerçant indépendant, nous l'avons néanmoins classé parmi les intermédiaires intégrés en raison de sa qualité de mandataire de l'entreprise, du lien contractuel qui l'attache à celle-ci et surtout de sa vocation de commissionnaire qui le conduit à abandonner la responsabilité de la livraison et de la facturation à son commettant ; le recours à l'agent autorise le maintien d'un contrôle sur la clientèle donc sur le marché, caractéristique des formes intégrées d'implantations internationales. Il y a bien un écran... mais transparent...

Les *avantages* de l'agent peuvent se résumer ainsi :
— bonne introduction locale, source première d'information,
— apport immédiat d'un « fonds de commerce » au commettant,
— investissement initial nul ou quasiment nul pour le commettant,
— coût, en règle générale, proportionnel aux ventes réalisées,
— gestion simplifiée.

Les *inconvénients* doivent être également soulignés :
— risques pris sur chaque client,
— personnalité de l'agent multicartes qui a le souci de son autonomie et une tendance à l'autolimitation de ses ventes pour éviter une trop grande dépendance à l'égard de l'un des commettants,
— fiabilité contestable des informations commerciales fournies par l'agent,
— faible capacité de service,
— absence de facturation locale,
— pénétration superficielle, ses moyens ne l'autorisent pas à entrer en profondeur sur les marchés,
— coût du divorce : l'apport d'un fonds de commerce a pour contrepartie des indemnités de clientèle pénalisantes.

En conclusion, formule de prédilection pour les P.M.I., souvent rebelles à la notion d'investissement commercial et plus soucieuse d'acquérir gratis pro Deo une clientèle que de pénétrer un marché en profondeur, la formule de l'agent à la commission devient progressivement obsolète dans les grands marchés à forte concurrence où

_____

(2) Hubert Adam, ancien directeur général d'Eclatec.

domine le concept de marketing, de contrôle et de service. Elle reste d'actualité sur des marchés de transition ou certains marchés à structure d'économie socialiste. Elle concerne des produits à faibles contraintes et des entreprises à ambitions modestes. Un conseil s'impose : l'agent à la commission doit être motivé et soutenu pour le temps du contrat, temps relativement limité, tant il est vrai que l'on ne doit pas vieillir avec un agent : s'il est bon, on l'intègre ; s'il est mauvais, on le quitte...

En tout état de cause, la codification contractuelle des rapports avec l'agent est essentielle (voir tableau III-4).

Tableau III-4 : Le cadre des rapports avec agents et concessionnaires

Clauses	Précautions	Agent	Conces-sionnaire
OBLIGATIONS COMMERCIALES			
Mandat	— Habilitation expresse — Limites du mandat	x	
Exclusivité	— Etendue dans le temps et l'espace, réciprocité	x	x
	— Effet du non-respect	x	x
	— Compatibilité avec la législation sur les ententes		x
Durée	— Compatibilité avec la législation locale	x	x
	— Clause de contrat à l'essai	x	x
Produits	— Enumération limitative	x	x
	— Effet de la cessation des fabrications	x	x
Distribution	— Enumération des circuits et des types de distribution		x
	— Compatibilité avec la réglementation sur les prix imposés et le refus de vente	x	
Quotas objectifs	— Sanctions : pénalités, révision du contrat, etc.	x	x
	— Dispositions en cas de dépassement	x	x
Rémunération	— Assiette de la rémunération	x	x
	— Ristournes et bonis :		
	• pour lancement,	x	x
	• promotionnels,	x	x
	• pour dépassement d'objectif,	x	x
	• pour nouveau client,	x	x
	• pour commandes groupées,	x	x
	• pour commandes hors saison, etc.	x	
	— Périodicité des règlements	x	x
	— Mode de règlement	x	x
S/concessionnaire	— Nombre, conditions de rémunération	x	x
S/agence	— Respect des sous-contractants des clauses du contractant initial	x	x
Clause ducroire	— Cas de mise en jeu	x	
	— Montant de la commission de ducroire	x	
Garantie	— Clause de réserve de propriété		x
de paiement	— Constitution de sûreté		x
	— Police COFACE	x	x
Services	— Vente pour le compte	x	
	ou en son nom		x
Livraisons	— Conditions de fourniture et de livraison		x

Tableau III-4 : Le cadre des rapports avec agents et concessionnaires

Clauses	Précautions	Agent	Conces-sionnaire
Stock	— Acquisition d'un stock-outils en propriété		x
	— Acquisition d'un stock-outils en consignation	x	x
	— Minimum		
S.A.V.	— Etendue des obligations	x	x
	— Pièces détachées		x
	— Réparation, montage		x
	— Gestion des garanties		x
Promotion/Publ.	— Répartition des charges :		
	• catalogues,	x	x
	• foires-expositions,	x	x
	• publicité d'insertion, etc.	x	x
	— Assurance prospection COFACE	x	
Cessation du contrat	— Contrat à durée déterminée	x	x
	— Dénonciation unilatérale (mode opératoire — délai de préavis)	x	x
	— Dénonciation automatique (décès, faillite, changement d'actionnaires, fautes graves, etc.)	x	x
	— Judiciairement	x	x
Effets	— Sort du stock		x
	— Indemnité selon législation locale	x	x
	— Clause de non-concurrence (temps et espace)	x	x
OBLIGATIONS D'ASSISTANCE			
Information générale	— Information permanente sur la vie du contractant (house-organ, conventions d'agents, etc.)	x	x
Information technique	— Catalogues	x	x
	— Formation — recyclage	x	x
Assistance promotionnelle	— Cahier des charges publicitaires		x
	— Conseils	x	x
Assistance financière	— Conditions de règlement pour le lancement		
	— Conditions de règlement pour achat de stock		x
	— Prise en charge partielle de frais de vente	x	x
	— Prise en charge partielle de la publicité		x
	— Diverses avances sur commissions	x	
Assistance administrative	— Fourniture des documents commerciaux (hors de commande)	x	x
	— Fourniture offres-devis	x	x
	— Know-how de gestion	x	x
	— Statistiques de vente, etc.	x	x
OBLIGATIONS DE CONTRÔLE			
	— Rapports de visites (mensuels) modèle fourni	x	x
	— Rapport d'activité (trimestriel) modèle fourni	x	x
	— Bilans — comptes d'exploitation	x	x
	— Tournées d'inspection	x	x
SOLUTION DE CONFLITS			
	— Nature : interprétation ou litiges	x	x
	— Clause compromissoire	x	x
	— Juridiction	x	x
	— Arbitrage (mécanisme)	x	x
	— Droit applicable	x	x

Section 3 : les implantations semi-contrôlées

On évoquera dans ce paragraphe l'éventail très ouvert de toutes les formes d'implantations impliquant un partage de la souveraineté commerciale avec un tiers national ou étranger.

Le degré de contrôle exercé par le bénéficiaire exportateur est par essence variable ; c'est pourquoi l'on ne peut affecter, sans risque d'erreur, ce mode de présence à une stratégie de développement concertée. Il est certain, par exemple, que la mise en place d'un système de franchise internationale, bien que fondée sur un partage de compétences et de responsabilités, correspond plus à une stratégie de développement intégrée que le recours au portage commercial *(Piggy-back)* qui, dans la plupart des cas, se résume à une sous-traitance quasi intégrale en général à un groupe de la fonction commerciale.

En revanche on a rangé parmi les formes partiellement contrôlées le recours à l'importateur assorti d'une prise de participation minoritaire dans le capital : le droit de regard ainsi obtenu transforme une voie d'accès sous-traitée à un intermédiaire partiellement contrôlé.

3.1. Les groupements d'exportateurs : la concertation par excellence mais pas nécessairement excellente

Définition : création collective d'une structure permanente destinée à prendre en charge tout ou partie de la fonction commerciale à l'exportation, déléguée pour ses adhérents — en règle générale — à vocation d'activité complémentaire.

On distinguera deux formes de groupement opérationnel :
— une formule légère :le groupement « service export »,
— une formule lourde : le groupement « société commerciale ».

3.1.1. Le groupement « service export »

(Voir figure III-5.)

L'entité commune peut ne pas être une société de capitaux : association loi de 1901, association à participation G.I.E., etc.

Sa vocation n'est pas, en effet, de conclure des actes de commerce mais de rendre des services à des entreprises adhérentes : études, prospection, assistance à la vente, etc. à la manière d'un agent, rémunéré par une dotation et le cas échéant par des commissions sur les affaires apportées à ses membres.

Avantages

Concentration des moyens en permettant l'accès à des marchés jusqu'alors hors de portée des adhérents pris individuellement :
— investissement modique,
— acquisition partagée d'un savoir-faire par le recrutement de spécialistes,
— acquisition d'un fonds de commerce propre à chaque adhérent qui conserve son autonomie de décision.

Inconvénients

Instabilité du groupement.
Les risques d'éclatement sont provoqués par des causes diverses et souvent inévitables :
— évolution trop inégale des résultats individuels des adhérents,
— évolution contradictoire d'une politique produits des adhérents,
— bureaucratisation progressive du groupement générée par les contraintes administratives d'information et de suivi des commandes et des livraisons, qui font passer la vente au second plan pourtant prioritaire,
— risque d'absorption par le ou les adhérents les plus performants,
— lassitude de la clientèle déroutée par l'ambiguïté juridique et commerciale d'un fournisseur à deux têtes...

Application

La formule reste applicable à des entreprises qui, disposant d'une certaine expérience à l'export, acceptent de prendre des risques collectifs sur des marchés neufs, sous réserve :

a) d'une relative homogénéité des produits éliminant les produits stars ou les rossignols,

b) d'une limitation dans le temps de l'expérience,

d) d'une définition précise des missions confiées au groupement et de son cahier des charges (études, prospection, promotion, etc.),

e) d'un engagement d'investissement annuel des adhérents sur la période, quels que soient les résultats obtenus, de l'existence d'une véritable affectio societatis *entre des entreprises de vocation, de taille et d'esprit comparables,*

f) d'un contrôle raisonnable exercé de la part des adhérents, contrôle qui ne doit pas tourner à l'espionite.

Figure III-5 : Le groupement « service export »

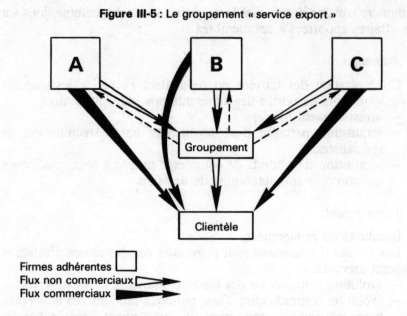

Figure III-6 : Le groupement « société commerciale »

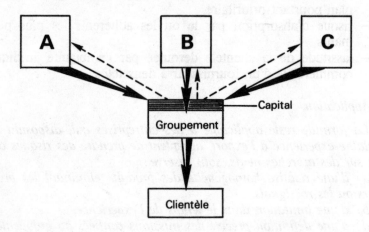

3.1.2. Le groupement « société commerciale »

Dans la catégorie précédente, le groupement agissait pour ordre et pour compte de ses mandants. Dans le cas présent (figure III-6), il se comporte en commerçant, c'est-à-dire qu'il achète ferme à ses adhérents pour revendre ailleurs. La formule est donc plus ambitieuse, le groupement acquiert sa propre clientèle, et crée un fonds de commerce.

Avantages

Le groupement créé — nécessairement sous la forme de société commerciale — développe une existence autonome différente de ses membres. Pour valoriser son capital, il est amené à se doter de tous les attributs de cette souveraineté : marque, gamme cohérente, politique commerciale, politique de prix, politique promotionnelle homogène, etc.

Détenteur de l'information en terme de marketing international, il est conduit à intervenir en amont pour adapter les politiques de ses adhérents à l'évolution de la demande mondiale : spécialisation par type de produits, optimisation des programmes d'investissement par unité, fixation des prix, politique de recherche et de développement, politique d'achats, etc.

Enfin il procède progressivement à l'intégration des services administratifs et des animateurs commerciaux export qui, chez les adhérents, finissent par faire double emploi avec ceux du groupement, d'où un allégement des charges de structure et une amélioration de la productivité.

Inconvénients

— La marque du groupement a tendance à se substituer à celle des adhérents.

— Le groupement est amené à prendre de plus en plus de poids dans la vie des adhérents qui deviennent progressivement des sous-traitants.

— Le contrôle financier assuré initialement peut évoluer au détriment des adhérents. En cas de succès de la marque du groupement, ce dernier voit ses besoins d'investissements commerciaux et de fonds de roulement s'accroître très rapidement et peut être ainsi amené, sous peine de disparaître, à échapper au contrôle de ses fondateurs.

Application

Le groupement « société commerciale » est, en quelque sorte, l'antichambre de la fusion ; il se justifie chez les entrepreneurs conscients de leur dépendance mutuelle et qui choisissent cette formule d'intégration progressive en pleine connaissance de cause. Il intéresse des produits à vocation très complémentaire sur des marchés à forte exigence marketing.

Paradoxalement, il concerne plus volontiers les entreprises totalement vierges à l'exportation que celles dont le passé et les structures existantes constituent des freins à cette intégration inéluctable.

Il suppose un management ultra-compétent, donc pour le dirigeant le recrutement non pas d'un vendeur comme dans le cas du groupement « service export », mais d'un véritable chef d'entreprise. De grandes marques (Gimm, Lapeyre, Emoconserve, Champijandou, etc.) à aura internationale étaient à l'origine de groupements de P.M.E...

3.2. La joint venture ou « l'auberge espagnole » de l'implantation

La *société conjointe* implantée localement, soit par plusieurs partenaires du pays exportateur, soit le plus souvent entre partenaires exportateurs et entreprises locales, reste une formule largement utilisée sur le marché international.

Avantages

La joint venture est souvent le point de passage obligé pour les implantations de P.M.I. soit dans des pays à fortes contraintes économiques et commerciales (U.S.A.) ou politiques (Chine, pays de l'Est, pays /sous-développés, etc.)
- Gains de temps et d'expérience précieux, partage de l'investissement, naturalisation de l'entreprise dès sa création.
- Image favorable aux yeux des autorités locales, etc.
- Apports différenciés des parties prenantes.

Inconvénients

- Insuffisance d'*affectio societatis*.
- Risque de conflits.
- Diminution de l'autorité.
- Contrôle nécessairement partagé.
- Moindre protection du savoir-faire.
- Difficultés de l'évaluation des apports, de nature et de portée très différentes.
- Difficultés d'assurer les montages juridiques et l'administration quotidienne dans le cas de systèmes de droits différents.
- Difficultés de passer d'une relation contractuelle à une véritable communauté d'intérêts.

Un exemple de joint venture est présenté tableau III-6.

Tableau III-6 : Joint venture : Peugeot en Chine

Motivation : Il ne s'agissait pas d'une opération de délocalisation, mais d'implantation en vue d'occuper une part significative d'un des derniers grands marchés potentiels du monde (en 1980, 130 usines ; capacité de production 220 000 unités).

Localisation : Canton Négociations : 5 ans. Accord mars 1985.

Objectif : production de 15 000 pick-up — 504/an — portée par la suite à 30 000.

Taux d'intégration : 90 % en 5 ans.

Coût : voisin de 600 MF.

Contrats industriels de distribution, d'exportation et de fournitures.

Prestations : modernisation d'une ancienne usine. *Technologie* moyenne (automatisation limitée). Transfert de technologie comprenant cession de know how, documentation, brevet, formation en France, assistance technique locale.

Montage juridique : création d'une société en joint venture (G.P.A.C.) au capital de 240 MF dont 22 % Peugeot (équipements et transfert de technologie). Partie chinoise : 66 %. Banques 12 %.

Financement crédits acheteurs et crédits financiers pour le solde des besoins. Les remboursements des crédits acheteurs s'effectuant par les exportations réalisées à partir de 1991.

Fiscalité : la joint venture bénéficie d'un statut fiscal privilégié concernant notamment l'exonération totale ou partielle de l'impôt sur le revenu de 30 %.

3.3. La concession de réseau ou piggy-back

Beaucoup d'appelés et peu d'élus (voir tableaux III-7 et III-8)

Définition

Le piggy-back consiste à permettre contractuellement l'utilisation du réseau intégré d'un tiers par une ou plusieurs entreprises de même nationalité, moyennant le versement d'une commission, d'honoraires, ou de redevances en fonction des performances réalisées.

Avantages

— Entrée sur le marché visé par la grande porte, celle d'une société connue et solidement implantée.

— Facilité de communications : le porteur assure l'interface avec le marché.

— Absence de sous-traitance de la vente : le fonds de commerce reste acquis à la société portée. Pour le porteur, possibilité de diversifier sa gamme et d'améliorer l'amortissement de ses charges de structures.

Tableau III-7 : Piggy-back : les principaux porteurs

Groupe	Secteurs et produits concernés	Services
— AÉROSPATIALE	Indifférent	Contrat de compensation
— C.G.E.	Biens d'équipement	Représentation
— DAVAL (SACILOR)	Biens industriels/Métallurgie	Toute assistance ou représentation
— ELF AQUITAINE	Indifférent	Assistance administrative à l'implantation
— LESIEUR EXPORTATION	Agroalimentaire	Assistance marketing et logistique
— ORCHEM	Produits complémentaires	Négoce
— PECHINEY (via SEFRANEX)	Indifférent	Représentation
— RENAULT (via SAPROGEX)	Indifférent	Groupage financier Export
— RHONE-POULENC	Produits de Base ou demi-produits	Représentation négoce Distribution
— SOCIÉTÉ COMMERCIALE DES POTASSES D'ALSACE (S.C.P.A.)	Engrais	Négoce
— TECHNIP	Technologie avancée	Transfert de technologie
— TECHNOVA	Agroalimentaire et plastique	Transfert de technologie

Inconvénients

— Difficultés pour trouver le partenaire idéal.
— Difficultés pour établir un contrat équilibré entre un gros porteur et un petit porté.
— Difficultés pour véritablement sensibiliser le réseau du porteur à la vente de produits qui ne sont pas « maison ».
— Problème de suivi de la part du porté : les faiblesses de ce dernier nuisent à l'image locale du porteur.
— Risques de conflits en cas de succès, le porté reprenant son indépendance après que tout l'investissement de départ ait été consenti par le porteur.

Applications

Les cas de succès du piggy-back sont rares. Si les produits répondent à son attente, le porteur a tendance à se transformer en société de négoce et à assurer les opérations pour son propre compte. Dans le cas contraire, l'échec est imputé à l'inadaptation du produit à la demande locale alors qu'il n'est qu'inadapté aux capacités du réseau porteur...

Les seuls cas de réussite concernent les entreprises déjà très introduites sur le marché international et développant des structures véritablement autonomes : exemple Poron au Japon qui compte tenu de ses capacités et de son expérience aurait pu s'éviter le détour du piggy-back.

Enfin, les accords les moins risqués concernent en général des entreprises de taille et de vocation équivalentes et dont les animateurs parlent, en règle générale, le même langage : les groupes restent entre groupes et les P.M.I. entre elles !

Tableau III-8

A propos du piggy-back, voici un article de l'auteur publié dans la revue *E.D.H.E.C.* du management lors du colloque de 1985 : « Exporter dans le sillage des grands groupes. »

Naviguer dans le sillage d'un autre ? Non merci

Les étudiants de l'E.D.H.E.C. sont des familiers de la course en mer. Il était donc naturel que, pour évoquer l'appel du grand large, pour les petites et moyennes entreprises, ils aient fait appel à des images tirées du patrimoine nautique : « Exporter dans le sillage des grands groupes. » Nous restons convaincus que nos spécialistes des régates hauturières apprécieront, comme il convient, cette vision de leur fringant voilier, taillé pour la course et la conquête en solitaire des espaces infinis, pris en remorque d'un cargo ou d'un pétrolier géant, ballotté par le remous des hélices, englué dans les fuites de mazout, aspergé par les détritus, encrassé par les fumées d'échappement, voilà de quoi, en effet, enflammer l'imagination des Argonautes néophytes, candidats à la promenade en mer !

Trois serpents de mer
Parmi les serpents de mer de l'exportation, il en existe trois qui font régulièrement surface, dès que l'on évoque le problème du commerce extérieur pour les P.M.I. et ce, quelle que soit la direction du vent : de tribord à bâbord ou inversement...
Le premier se nomme : société de commerce international.
Le second, groupement à l'exportation.
Le troisième « piggy-back », c'est-à-dire commercialisation par l'intermédiaire du réseau d'un groupe.
Ces trois remèdes miracles que les dieux de la mer nous ressortent épisodiquement ont un point commun : il s'agit pour les P.M.I. de bénéficier de tous les agréments de la croisière en haute mer, sans pour autant en supporter ni les risques, ni les aléas.   *(à suivre)*

Les gros, armés pour affronter les tempêtes, feront porter aux quatre coins de l'horizon, la merveilleuse cargaison, cependant que nos petits entrepreneurs, bien au chaud au coin du feu, attendront dans leurs pantoufles le retour des galions chargés d'or espagnol !

Allez raconter cela à Saint-Malo, vous ferez sourire les descendants des petits armateurs d'autrefois, mi-négociants, mi-pirates, qui ont fait la fortune de la ville en évitant soigneusement le sillage des navires de la Compagnie de Indes.

Mais revenons à notre question d'actualité. Pourquoi se mettre en remorque d'un gros cargo lorsqu'on est petit plaisancier...
— parce qu'on ne connaît pas la manœuvre,
— parce qu'on n'a ni le temps, ni les moyens,
— parce qu'on ne croit pas à l'aventure.

● On ne connaît pas la manœuvre : que va-t-on faire sur l'Océan ? Tôt ou tard il faudra bien manœuvrer. Tôt ou tard, il faudra prendre des dispositions, exécuter un contrat, livrer de la marchandise, faire face à des imprévus...

● On n'a ni le temps, ni les moyens : parce que, manœuvrer sous le vent d'un super-pétrolier qui met une heure et demie pour s'arrêter, convaincre le capitaine et jusqu'au dernier membre de l'équipage, de l'excellence de nos produits, alors que manifestement ni pour les uns, ni pour les autres, cette prise en charge n'apparaît prioritaire.

Payer son droit d'entrée, se voir imposer un contrat à prendre ou à laisser... c'est aussi aliéner son temps, son argent et aussi sa liberté...

● On ne croit pas à l'aventure : on la sous-traite au premier venu, pourvu qu'il nous rapporte des affaires juteuses, sans aucune fatigue, sans aucune connaissance du port d'accueil, des populations des îles, de la façon dont nos cargaisons seront acheminées : c'est déjà tellement difficile de produire... l'antienne est connue.

Quant au gros porteur : qu'attend-il de l'opération ? De deux choses l'une, ou le « mouton à cinq pattes » proposé par la P.M.I. lui plaît, est complémentaire de son propre élevage, est admis en conséquence par l'équipage et ses correspondants : dans cette hypothèse, le commissaire de bord achète toute la cargaison : cela s'appelle un accord de distribution, et c'est aussi vieux que le commerce international ; ou bien le « mouton » n'intéresse personne, et dans ce cas, il y a peu de chances pour que l'agent de la compagnie déploie des trésors d'énergie pour écouler ladite cargaison.

Montrer « voile blanche »

En fait, les grosses unités de la flotte nationale, les Thomson, les Péchiney, après de gros échecs, deviennent plus prudents. Ils n'achètent plus, ils suscitent en leur sein de petites embarcations qui proposent à nos P.M.I. errantes de les piloter (études, tests de produits, conseils en tout genre), mais pas de les prendre en compte dans le glacis des écueils de la vente à l'étranger. Le piloté est rémunéré à la vacation... sans obligation de résultats.

Dans ce cas, le « groupe » se comporte comme n'importe quel conseil privé ou public à l'exportation, et on peut se demander, même, si les règles les plus élémentaires de la déontologie professionnelle sont bien respectées. Les services sont en effet proposés à des prix marginaux qui ne reflètent pas les coûts de revient dans la mesure où le fuel et l'équipage constituent des charges de structure du groupe, et sont donc de toute manière, payés.

(à suivre)

D'où la réaction des petits prestataires de services à l'exportation qui s'insurgent contre une forme d'action que d'aucuns n'hésitent pas à qualifier de dumping, et les autres plus simplement de piraterie...

Bref, et pour nous résumer, s'il s'agit de faire des affaires ensemble, le « piggy-back » n'a rien inventé : depuis les Phéniciens, les gros négociants et les petits font du « business » sur le plan international.

S'il s'agit de mettre véritablement un réseau international au service de n'importe quelle P.M.I., alors là, nous parlons d'abus de langage. Les responsables de porte-avions sont des plus sélectifs : pour être homologué, il faut montrer « voile blanche », il faut que notre navire ait de l'allure, qu'il ait les plus belles références, les meilleurs produits, une marque internationalement reconnue, qu'il présente des marges alléchantes, enfin que son capitaines soit capable d'investir à long terme, pour accompagner financièrement la course promotionnelle du chef d'escadre...

Autrement dit, si vous êtes capable de vous débrouiller tout seul, venez dans mon sillage...

Maître à bord
Alors, comme nous croyons plus au rapport de force qu'à la philanthropie spontanée — dans le monde des affaires comme ailleurs —, nous rappellerons ce que font les plaisanciers expérimentés, lorsqu'ils se trouvent soudain en Manche, sur la route des cargos : ils fuient ou ils traversent !

Ce qui n'empêche pas, les uns et les autres, sur quelques miles, de naviguer de concert, de s'entraider le cas échéant, de se saluer toujours... Pour le reste : demeurons, s'il vous plaît, maître à bord après Dieu.

Patrice BOISSY

3.4. La franchise internationale : distribution, oui ; implantation, non

Définition : largement répandue aujourd'hui, la technique de la franchise est un système de distribution fondé sur la cession, contre rémunération, d'un savoir-faire commercial et du droit d'exploiter une marque, une enseigne, un modèle, etc. Etendue aux relations au-delà des frontières, la franchise devient un mode d'implantation particulièrement efficace bien que fondé sur une délégation partielle de la souveraineté commerciale.

Voyons brièvement les caractéristiques des contrats dans les franchises de distribution :

Obligations du franchisé
— Engagement quantitatif d'achat (quota).
— Application des directives du franchiseur quant à la présentation du produit, à l'enseigne, à l'aménagement des locaux, à l'organisation de la vente, à l'importance des stocks, etc.
— Paiement d'un droit d'entrée.
— Paiement d'une redevance annuelle sur les chiffres d'affaires.

– Acceptation d'une tutelle marketing et d'un contrôle financier imposés par le franchiseur.

Obligation du franchiseur

– L'exclusivité territoriale accordée au franchisé.
– La communication du savoir-faire commercial, technique ou de gestion.
– La formation et l'assistance technique et commerciale.
– La mise à disposition des produits et des services d'accompagnement (organisation, logistique).
– L'engagement de soutien promotionnel assorti d'un budget d'investissement commercial et publicitaire.
– L'engagement d'investissements de création et de renouvellement assurant le maintien de l'attractivité de la marque.

Avantages

– Acquisition d'une part notable du marché dans un délai court.
– Retour rapide de l'investissement.
– Positionnement « au plus près » de la demande finale d'où une capacité de réaction rapide aux impulsions du marché ou aux initiatives de la concurrence.
– Contrôle de la marque, du prix et de la distribution en principe assuré.
– Investissement important mais autofinancé grâce aux droits d'entrée et aux redevances du franchisé.

Inconvénients

– Risques de voir le franchisé s'affranchir de la tutelle du commettant.
– Cadres juridiques nationaux parfois incompatibles avec le système de franchisé (pays socialistes).
– Nécessité d'une innovation permanente et d'investissements pour éviter la lassitude et la désaffection de la clientèle.
– Difficultés de gérer à distance un système complexe.

Applications

Le système de franchise s'adresse à des marchés ouverts à économie libérale où la distribution atteint un stade de maturité autorisant la prise en compte de contrats d'adhésion élaborés et impliquant des modèles complexes de gestion et d'animation.

– Elle intéresse des produits sophistiqués attractifs et innovants à forte marge unitaire capables d'assurer l'amortissement d'un investissement commercial en définitive entièrement financé par le consommateur ou l'utilisateur.

– Elle s'adresse à des entreprises performantes disposant d'un

know how évolué en terme de technique, de gestion et de marketing bien finalisés.

Notons que les franchises directes à l'exportation compte tenu des contraintes de gestion, sont quasiment inexistantes ; en règle générale le promoteur s'appuie sur les structures locales autonomes du secteur franchisé ou contrôlé (filiale) avec les avantages et les inconvénients propres à la sous-traitance (cf. la franchise Mac Donald et les péripéties de son implantation en France).

3.5. Le commissionnaire exportateur à la vente ou à l'achat

Définition : le commissionnaire à la vente, mandataire de l'exportateur, agit au nom de ce dernier, pour prospecter, vendre, expédier, facturer une marchandise et perçoit une rémunération calculée sur le prix de cette vente. Le commissionnaire à l'achat, pour sa part, est mandataire de l'importateur pour le compte duquel il recherche et achète sur le marché d'importation les marchandises souhaitées par l'acheteur à des conditions de prix et de services précisées d'un commun accord. Dans ce dernier cas la commission est à la charge de l'acheteur ; le commissionnaire se comporte comme un bureau d'achat.

Avantages

Le commissionnaire exportateur constitue un moyen :
a) d'approcher au moindre frais les marchés étrangers,
b) de tester un marché pour écouler les surplus,
c) d'apprendre l'exportation sur un marché donné au commettant. Le commissionnaire a une connaissance approfondie des contraintes commerciales, logistiques et administratives de la vente dont il fait nécessairement profiter son partenaire,
d) de réduire quand il est « ducroire » les risques de non-paiement de l'acheteur final.

Inconvénients

— Le contrôle exercé par le commettant sur le fonds de commerce apporté par le commissionnaire est assez théorique. Ce dernier choisit et paie lui-même souvent la marchandise, il se charge de l'ensemble des formalités et des relations avec le client final.
— Le coût de l'intervention n'est pas négligeable, la ou les commissions s'ajoutant aux frais d'approche habituels du marché.
— Le commissionnaire exportateur à l'achat est souvent infidèle parce que dépendant pour l'essentiel de ses gros clients étran-

gers (acheteurs de grands magasins, par exemple). Son inconstance est à l'origine de bien des déboires pour les P.M.I., dont le référencement est remis en cause chaque année.

Applications

La plupart des commissionnaires travaillent à la fois à la vente (pratique plus aléatoire) et à l'achat (plus sécurisante).

Leur intervention se conçoit à la fois comme une initiation aux techniques du commerce extérieur pour le néophyte et comme une solution transitoire ou marginale pour des exportateurs confirmés. Elle intéresse donc en règle générale des marchés relativement difficiles d'accès pour des P.M.I. :

— soit en raison des exigences de la distribution (marchés japonais ou américain),

— soit en raison de leurs caractères sociologiques (certains pays en voie de développement),

— soit en raison de leur potentialité (micro-marchés, intéressants mais insuffisants) pour assurer la survie d'une implantation lourde (ex. : îles Vierges, principautés de Monaco ou Andorre, etc.).

La formule concerne des entreprises de taille modeste, peu équipées pour l'action internationale ou des firmes plus importantes mais ne souhaitant pas investir sur des marchés périphériques. Elle se justifie enfin dans le cas de produits à bonne marge ne nécessitant pas d'investissements lourds ni de gestion d'après-vente de « bonne image France » (ex. : articles de Paris, articles ménagers, produits de luxe, confection, produits alimentaires, etc.).

Section 4 : les implantations sous-traitées

4.1. La sous-traitance nationale

4.1.1. L'exportation indirecte : la sous-traitance industrielle

Nous n'évoquons que pour mémoire cette forme d'exportation qui consiste pour des entreprises à prospecter systématiquement une clientèle de sociétés à vocation internationale pour en devenir le fournisseur. Dès lors qu'il s'agit là d'une politique délibérée, conçue à partir d'un constat de carence quant aux capacités de l'entreprise (en raison de la nature de ses productions ou de ses aptitudes propres) à affronter directement les marchés étrangers, elle s'inscrit très normalement dans une stratégie de développement sous-traité.

Essilor : une multinationale née de la concertation

1965 : deux entreprises de taille moyenne dominent la lunetterie française, l'une est une société de capitaux familiale et de structure classique, Essilor, l'autre, une ancienne coopérative ouvrière devenue commandite par actions dont le capital est détenu par les cadres S.L. (société de lunetterie).

Origines, motivation, objectifs, méthodes, tout oppose ces deux affaires ; tout, sauf la perception commune aux deux équipes dirigeantes de la révolution technologique en cours dans ces produits de première nécessité, et de la mondialisation rapide de ce marché, impliquant le renforcement de la taille des challengers.

Il faudra des années d'études et de négociations pour qu'Essilor voie le jour en 1972 : dans la corbeille de mariage, Amor (montures), Orma (verres organiques) apportée par Silor, Mylor (montures de fil de nylon) et surtout Varilux (verres progressifs), innovation considérable.

Jusqu'en 1980, la direction sera bicéphale et la présidence tournante.

A la retraite des deux partants, Bernard Maitrez, ingénieur des Arts et Métiers, inventeur des Varilux, devient P.-D.G. du groupe.

En quinze ans, Essilor devient le troisième lunettier mondial, sa stratégie repose sur trois piliers :

1. L'avance technologique
   250 personnes travaillent à la recherche,
   6 % du chiffre d'affaires lui est consacrée.
   Varilux-Orma reçoivent des améliorations permanentes qui maintiennent leur attractivité.
   En 1982, la création du C.S., le verre composite aux propriétés exceptionnelles de légèreté et de solidité, sanctifie cet effort permanent.

2. Un management du troisième type
   Motivation, concertation, délégation, information élaborée et actionnariat généralisé (40 % du capital).
   L'esprit Essel, modernisé, permet d'associer la communauté humaine à toutes les décisions parfois difficiles comme celle des implantations industrielles à l'étranger.

3. Une expansion internationale
   C'est en effet sur ce facteur que repose la stratégie de développement du groupe. Il est apparu clairement aux dirigeants que sans une présence généralisée sur les grands marchés du monde on ne tirerait pas un profit technique, commercial et financier en rapport avec l'investissement technologique.
   Implantée commercialement aujourd'hui dans la plupart des pays Essilor dispose d'une quinzaine de filiales de production : Grande-Bretagne, Autriche, Etats-Unis, Philippines, Japon (en joint venture), d'ateliers de finition : Italie, Espagne, Suisse, Portugal, R.F.A., etc.
   Devenue multinationale par vocation et par nécessité, Essilor n'oublie pas sa nationalité, ni ses origines jurassiennes et c'est en tant qu'entreprise française qu'elle figure régulièrement en tête des firmes performantes couronnées par la presse économique.

Bien connue dans l'automobile, cette stratégie est évolutive et l'on a vu bon nombre de grands sous-traitants comme Valeo ou D.B.A., ou de plus modestes dans cette branche, opter pour d'autres formes de développement international concertées et même autonomes à l'étranger.

4.1.2. Les sociétés de commerce international (S.C.I.) multiformes : un partenaire ou un « soldeur » ?

Définition : Il s'agit là d'entreprises commerciales faisant profession d'acheter ou de revendre à l'échelle internationale.

Certaines sont spécialisées dans une gamme de produits ou de services ou sur un type de marchés, d'autres ont une vocation multiproduits et multinations.

Les principales sociétés de commerce sont japonaises, allemandes, hollandaises et anglaises, les grandes sociétés françaises sont essentiellement d'anciennes sociétés de comptoirs rayonnant sur l'ex-union française. Depuis la disparition de l'Empire, elles ont effectué une réorientation de leurs activités vers de nouvelles zones (Europe, Amérique latine, Moyen-Orient, etc.).

Mais leur présence hors d'Afrique est limitée, bon nombre d'entre elles se sont largement recentrées sur des activités purement hexagonales (super-marchés et opérations immobilières). Parmi les sociétés les plus connues on peut citer C.F.A.O., S.C.O.A., Davum, Brossette, Optorg, etc.

Avantages

Le recours à une société de commerce est sécurisant pour l'exportateur, surtout sur certains marchés à hauts risques (risques commerciaux, politiques ou de non-transfert). L'investissement commercial est réduit au minimum.

Les bureaux d'achats de ces sociétés sont de précieuses sources d'informations pour leurs interlocuteurs industriels. Enfin, la société de commerce, lorsqu'elle joue le rôle de concessionnaire, est un partenaire de choix pour l'exportateur dans la mesure où ses moyens techniques et humains garantissent la qualité de ses services (transport, gestion du stock et d'après-vente, etc.).

Inconvénients

— Absence de contrôle sur la distribution, la politique de prix publics et la nature de la clientèle et parfois même sur la destination finale.

— Risque de neutralisation de la marque de l'exportateur par le partenaire commercial pour favoriser un autre concurrent.

– Le référencement peut être source de commandes importantes mais ponctuelles et souvent non renouvelables.

– Les exigences de la S.C.I. (présentation, emballage, conditionnement, conditions de vente) sont astreignantes et coûteuses.

– L'inégalité des forces en présence conduit au laminage de la marge laissée à l'exportateur, dans la plupart des cas.

Conclusion

Instrument de sous-traitance par excellence sauf dans le cas d'un contrat de concession, le recours à une S.C.I. se justifie dans la pratique de circonstances :

1) comme moyen d'approche d'un marché, notamment africain étroitement et historiquement contrôlé par ces sociétés ;

2) comme moyen d'évaluation des chances de succès d'un produit sur ce type de marché ;

3) comme moyen d'élargir marginalement une zone de distribution pour une gamme de produits ;

4) comme moyen d'améliorer une trésorerie par une opération de soldes qui n'ait pas de répercussion sur la clientèle et la distribution domestique.

Il reste que la S.C.I. n'est pas seulement un moyen d'écouler des surplus ; elle peut être un excellent partenaire fidèle et efficace dès lors qu'une véritable coopération s'instaure entre les parties dans une perspective d'investissement à moyen et long terme (concession).

4.2. La sous-traitance à l'étranger

4.2.1. L'importateur distributeur : un écran plus ou moins opaque

Définition : l'importateur est un commerçant indépendant, il achète ferme, prend la commande à son nom, facture et vend à son prix ; il livre et perçoit le produit de sa vente. C'est un intermédiaire lourd, plus ou moins bien établi localement et disposant des moyens matériels, humains et financiers nécessaires à sa mission commerciale.

Avantages
– Connaissance de la destination.
– Transfert du risque commercial sur l'importateur.
– Capacité de prospecter le marché en profondeur.
– Marge assurée.
– Coût de commercialisation et frais d'approche réduits.
– Service à la clientèle performant.
– Stocks après et avant-vente suivis.

Inconvénients

— Absence de contrôle sur la marque, les prix pratiqués, la clientèle prospectée, les circuits de distribution utilisés et le S.A.V. pratiqué sauf dans le cas de contrat de concession.

— Maintien du risque de change ou de non-transfert sur la tête de l'exportateur.

— Risque d'autolimitation des ventes provoqué par le souci de l'importateur de ne pas trop dépendre de l'un de ses fournisseurs.

— Problèmes contractuels : défense de la marque, partage du coût des actions promotionnelles.

— Sort du stock en cas de divorce, indemnités éventuelles, etc.

Conclusion

Le recours à l'importateur distributeur s'impose classiquement aux entreprises mal armées pour l'action autonome, dès lors que les marchés sont potentiellement importants, que les produits exigent un service avant-vente, après-vente ou de réassortiment ; il s'agit d'une forme de pénétration durable mais qui n'a de chance de durer que dans la mesure où de simple distributeur, l'agent se transforme en concessionnaire et s'impose des obligations d'information et de services notamment à l'égard de l'exportateur et devient, dès lors, un partenaire à part entière.

Une prise de participation minoritaire scellera cette coopération et permettra en outre de renforcer les moyens d'intervention du distributeur pour asseoir sa position sur le marché local.

4.2.2. La cession de licence et le transfert de technologie ou comment générer un concurrent

Définition : concéder une licence, c'est octroyer à un tiers le droit d'exploiter dans des limites de temps et d'espace définies, une marque, un modèle, un brevet ou un savoir-faire moyennant soit le versement d'une somme forfaitaire, soit des redevances périodiques en fonction des quantités vendues (soit les deux simultanément).

Il s'agit bien là d'une forme totale de sous-traitance non seulement de la vente, mais même de la fabrication.

Pour le concédant, les avantages sont multiples :

— Il s'épargne tous les investissements, en amont et en aval, de l'exportation.

— Il améliore ses profits induits et peut amortir plus vite ses dépenses de recherche et de développement — donc améliorer sa compétitivité.

— Il laisse au licencié l'essentiel de la charge du risque commercial et politique et la totalité du risque d'exploitation.

— Il améliore sa structure financière, compte tenu d'un avantageux statut fiscal : la cession de licence est en effet assimilable à une cession d'immobilisation incorporelle taxable à l'impôt sur les plus-values à long terme (16 %).

— Elle assure une présence importante sur des marchés fermés. Elle est bien vue des autorités locales en permettant une économie de devises par réduction des importations, en enrichissant le patrimoine technologique national et en augmentant localement les capacités d'embauche.

Inconvénients :

En sens inverse le concédant :
— perd plus au contact physique avec son marché,
— suscite sa propre concurrence,
— vend son « âme »... c'est-à-dire ce qui fait l'essence même de sa supériorité : sa matière grise,
— est confronté en permanence à des occasions de conflits :
  • difficultés d'évaluer convenablement un pourcentage raisonnable de royalties,
  • difficultés de contrôler la production du licencié en termes quantitatif et qualitatif,
  • profits par unité produite incomparablement moins élevés qu'en cas de vente directe,
  • résistance du licencié qui s'élève contre la rente de situation faite à son partenaire, la technologie acquise initialement lui étant devenue moins essentielle.

Ainsi, peut se trouver stérilisée ladite technologie au profit d'une autre technique plus récente.

Face à ces sources de litiges, la procédure d'arbitrage constitue un recours coûteux et des procédures longues et souvent coûteuses pour les deux parties.

L'instance devant les tribunaux implique des délais considérables et débouche sur des jugements locaux souvent peu favorables aux tiers étrangers...

Conclusion

Eléments essentiels du paysage économique d'un monde en crise, le transfert de technologie sans être une panacée, est un point de passage obligé :
— pour les produits dont le développement passe par l'acquisition de technologies complémentaires,
— pour des entreprises notamment des P.M.I. qui n'ont pas les moyens d'assurer elles-mêmes l'avenir international de leur innovation, compte tenu de la durée de vie probable de ladite technologie,

— pour les marchés *ultra-protégés, où toute importation directe est systématiquement découragée.*

— « Ni excès d'honneur, ni indignité », le transfert de technologie exige toutefois un minimum de précautions :

- éviter la divulgation avant, pendant et après le contrat des secrets de fabrication,
- s'efforcer d'assurer la protection des innovations, le cas échéant,
- préciser de manière claire les limites de la concession,
- prévoir une assistance technique et sa rémunération,
- prévoir une méthode de contrôle quantitative imparable (ex. fourniture par l'exportation directe d'un composant essentiel par unité produite),
- prévoir un système de contrôle de qualité,
- assurer l'attractivité future de la licence en prévoyant, par exemple, le réinvestissement d'une partie des redevances en recherche et développement en appliquant à chaque perfectionnement « un avenant » assorti d'une redevance améliorée,
- prévoir des pénalités en cas de non-respect des objectifs,
- se faire assister d'un conseil dans le cours de la négociation et de la mise en œuvre du contrat,
- etc.

Produits nouveaux et marché mondial
(Le cas Aspi-Venin)

Dans les années 1980, un inventeur récompensé au concours Lépine, veut industrialiser sa dernière création, mise au point après des années de recherche : une pompe aspirante capable d'éliminer les conséquences des piqûres de guêpes, frelons, abeilles, scorpions, araignées, serpents, etc.

Le produit se présente sous la forme d'une seringue plastique « le corps de pompe » dont le piston central est doté d'un orifice permettant à l'air comprimé, entre la peau et la ventouse située à l'extrémité de l'appareil, de s'échapper lors de la pression manuelle, créant ainsi le vide et donc l'aspiration des substances nocives injectées. Simple, robuste, léger, peu encombrant et d'un maniement aisé, l'appareil est facilement exportable physiquement et réglementairement.

Le marché est considérable, quasiment mondial, si l'on excepte les zones glaciaires.

Il intéresse autant les pays développés que le tiers monde, les pays protégés que les pays ouverts, il est bénéficiaire d'un brevet international dont l'entretien est le poste de défense le plus élevé pour l'inventeur.

Conscient de l'importance de sa découverte et de la nécessité de l'exploiter rapidement, ce dernier créa une petite société.   *(à suivre)*

Le Crédit Lyonnais lui apporte son concours. Mais comment aborder le marché mondial avec quelques centaines de milliers de francs ?

La production sera entièrement sous-traitée auprès de fournisseurs de plastiques de la région d'Oyonnax, la commercialisation en France sera assurée par une société spécialisée dans la vente sur catalogue auprès des officines pharmaceutiques.

A l'étranger, l'inventeur sera intéressé par les offres des groupes disposant d'une implantation internationale et notamment de Sefranex du groupe Péchiney, société porteuse spécialisée dans le « piggy-back » et qui lui propose une exclusivité de diffusion quasiment mondiale.

L'inventeur à juste raison préfère cantonner cette commercialisation sur quelques marchés, notamment africains.

Enfin, il négocie une cession de licence assortie dans un premier temps d'importants contingents de commandes directes avec une petite société américaine qui parie sur le produit. Par ce contrat bien négocié (3) Aspi-Venin devait se doter des moyens financiers nécessaires à son expansion et surtout à la mise au point de produits nouveaux appliquant la même technologie à d'autres domaines.

Cette expérience démontre qu'en dépit des aides et concours financiers existants Anvar, capital risque, etc., une technologie originale à vocation internationale, développée au stade d'inventeur ou de la P.M.I. n'a véritablement de chance de succès que si son partenaire est résolu à sous-traiter l'essentiel de sa souveraineté technique et commerciale.

Le raisonnement de notre interlocuteur était simple et frappé de bon sens, la conquête de part de marché significative devait se faire dans la phase 0 et 1 du produit. Au-delà, la concurrence pour ce produit en fin de compte relativement simple aurait débordé la fragile barrière du brevet...

4.3. Conclusion : la grille de sélection des canaux

De l'analyse qui précède et en concentrant les principaux critères retenus dans la sélection des marchés (chap. II), l'évaluation des contraintes produits et les éléments de force de l'entreprise (chap. I), on pourrait imaginer un système d'aide à la prise de décision à partir d'une grille chiffrée (voir tableau III-9).

---

(3) Ce contrat de licence devait par la suite se montrer décevant, en raison des insuffisances du licencié...

Tableau III-9 : Grille de sélection de canaux

1 — Possible ou indifférent
2 — Conseillé   3 — Recommandé

Chaque cellule présente deux valeurs : colonne « + » et colonne « − » (— = case vide).

CRITÈRES MARCHÉS	Contrôlé — lourde			Contrôlé — légère		Semi-contrôlé — lourde				Semi-contrôlé — légère		Sous-traité — lourde			Sous-traité — légère
	Filiale industrielle (+/−)	Filiale commerciale (+/−)	Filiale mixte (+/−)	Représentant salariés (+/−)	Agent commission (+/−)	Licencié (+/−)	Distributeur + P.P. (+/−)	Franchise (+/−)	Piggy-back (+/−)	Groupt Joint venture (+/−)	Commission à la vente (+/−)	Import/Distrib. (+/−)	Import. concess. (+/−)	Sté comm. (+/−)	Commission achat (+/−)
Potentialité • Dimension actuelle et future	2 / —	3 / —	1 / —	2 / —	1 / 2	1 / 2	2 / —	3 / —	2 / 3	2 / 1	1 / 2	2 / 2	3 / 1	1 / 3	1 / 3
Perméabilité • Degré d'ouverture	1 / 3	3 / 1	2 / 2	2 / —	1 / 1	— / 3	2 / —	3 / —	1 / 2	2 / 1	1 / 1	2 / 1	3 / 1	1 / 3	1 / 3
• Affinités socio-économ.	1 / 2	3 / —	2 / 1	2 / —	— / 3	1 / 2	2 / 3	3 / —	2 / 3	2 / 1	1 / 3	2 / 3	3 / 2	1 / 3	1 / 3
Sécurité • Risques politiques	3 / —	1 / —	2 / —	2 / —	1 / 3	3 / 1	3 / 1	3 / 2	2 / 3	2 / 1	2 / 1	1 / 2	1 / —	1 / 3	1 / 2
• Moralité commerciale	3 / —	3 / —	3 / —	3 / 3	1 / 2	3 / —	2 / 3	3 / —	1 / 2	2 / 1	2 / 1	1 / 2	2 / 1	1 / 3	3 / 2
Accessibilité • Proximité	— / 3	3 / 1	2 / 2	2 / 3	1 / 2	— / 3	2 / 3	3 / 1	1 / 3	1 / 3	1 / 3	1 / 1	2 / 3	1 / 3	1 / 3
Total															

CRITÈRES PRODUITS...

CRITÈRES PRODUITS

- Avantages techniques
  - poids/volume
  - solidité/durée de vie
- Contraintes commerciales
  - marques
  - investissement promot.
  - gamme
  - stocks
  - maintenance
- Facilités réglementaires
  - abs. de normes, homologation, etc.

Total

CRITÈRES FIRMES

- Performances
- Expérience internationale
- Capacité hommes
- Capacité financière
- Capacité production

Total

Total général

Critère \ Option	1	2	3	4	5	6	7	8	9	10	11	12	13
Avantages techniques	2 1	1 3	2 1	1 2	2 1	1 1	2 1	3 1	1 1	1 3	2 1	3 1	1 1
poids/volume	1 2	1 3	3 1	1 3	2 3	1 2	1 3	3 1	2 1	1 1	2 1	3 1	2 1
solidité/durée de vie	1 3	2 1	3 1	2 1	1 2	1 3	1 3	3 1	3 2	1 1	2 1	2 1	2 3
marques	1 3	2 1	1 3	3 1	1 3	1 3	2 1	3 1	1 1	3 1	1 1	1 1	2 1
investissement promot.	1 2	1 2		1 2	1 2		1 2	3 1	2 1	1 3	2 1	2 1	1 2
Performances	1 3	1 2	2 1	1 3	1 1	1 3	1 2	3 1	2 1	2 1	1 2	3 1	3 1
Expérience internationale	1 3	1 3	2 1	1 2	1 3	1 2	1 2	3 1	2 1	3 1	2 1	2 1	3 1
Capacité hommes	1 3	1 3	2 1	1 2	1 3	3 1	1 3	3 1	1 3	1 2	1 3	2 1	3 1
Capacité financière	1 3	1 3	1 1	1 3	1 3	1 3	1 3	2 1	3 1	1 3	1 3	2 1	3 1
Capacité production	2 1	1 1	2 1	1 1	1 1	2 1	3 1	3 1	2 1	1 3	1 1	2 1	2 1

Commentaires du tableau III-9.

Le total des points recueillis à chaque niveau de décision doit donner une orientation quant aux choix préférentiels à mettre en œuvre dans la recherche des canaux les mieux adaptés. (Cf. chapitre V, infra cas Virbac.)

La stratégie à long terme de Lafarge Coppée
Passer de la seconde à la troisième génération industrielle

Leader français du ciment et troisième mondial, Lafarge-Coppée s'est d'emblée donné une dimension internationale fondée à la fois sur une stratégie intégrée et la joint venture : 22 millards de chiffre d'affaires en 1988, 1,5 milliard de résultat consolidé.

Les contraintes produits ont amené de bonne heure Lafarge à préférer l'exportation à l'implantation industrielle qu'il maîtrise parfaitement. Le groupe dispose en Amérique du Nord d'une filiale à 56 % de Lafarge Corporation qui exploite 14 cimenteries et 4 usines de broyage.

Diversification géographique : 42 % des ventes s'effectuent en France, 40 % aux U.S.A., 10 % en Europe.

Diversification technologique : leader sur le marché de la seconde génération industrielle, Lafarge a souhaité prendre pied dans les activités de la troisième génération. C'est ainsi qu'elle s'est positionnée dans le peloton de tête des technologies de pointe s'inscrivant dans le secteur de la biochimie et du biovégétal mais en restant sur son domaine de prédilection, le créneau des demi-produits. Le pôle de ce redéploiement est Orsan, producteur d'acides aminés et de semences visant les marchés stratégiques de l'Asie du Sud-Est. Orsan qui détient plus de 50 % du marché mondial dans une spécialité s'est allié à la firme japonaise Aginoto. Très affectée par les péripéties du dollar et la remontée du cours du produit concurrent, le soja et les résultats en 1988 étaient en forte profession. Orsan a connu des pertes en 1987 mais la stratégie du groupe est à long terme. La recherche porte sur 10 % du chiffre d'affaires annuel de la branche et notamment dans des domaines peu explorés comme l'hybridation du blé.

Le pari de Lafarge : *exploiter sa vocation internationale d'industriel dans les composants de base, sur des créneaux différenciés.*

Chapitre IV

Stratégie et intendance

> « La stratégie est l'ensemble des grandes orientations à long terme de l'entreprise : elle se traduit par un plan d'allocations et d'utilisation des ressources. » (1)

Les options internationales jouent, certes, un rôle non négligeable dans les types de structures mises en œuvre, mais elles ne sont toutefois pas les seuls facteurs déterminants de l'organisation générale de l'entreprise.

Sans entrer dans un débat d'école, nous évoquerons les facteurs traditionnellement avancés, qui commandent les grands types de choix d'organisation.

Puis nous rappellerons les principales tâches et missions engendrées par l'ouverture sur le marché extérieur ainsi que l'évolution liée aux processus d'internationalisation.

Enfin nous nous efforcerons de décrire les principes d'organisation en cohérence avec le type de stratégie retenue.

Section 1 : l'organisation selon le stade de croissance et de technologie

W. D. Guth (2) (université de Colombia) remarque, à l'issue de plusieurs enquêtes réalisées auprès d'entreprises américaines qu'il

---

(1) Mercier, 1977.
(2) *Cahiers de la F.N.E.G.E.*, Enseignement et gestion, compte rendu de la 6ᵉ conférence annuelle du 15 au 18 mai 1977, numéro spécial « Les activités internationales de l'entreprise », 1978 (2, avenue Hoche, 75008 Paris).

existe une relation empirique entre le couple produit/marché et la structure organisationnelle de base en fonction de la croissance du volume des ventes (voir tableau IV-1).

Tableau IV-1 : Croissance et développement de la firme (3)
Relation empirique entre volume, stratégie et structure organisationnelle
(étude fondée sur l'analyse historique de plus de 150 sociétés)

Stratégie/structure		
Volume de vente (par ordre croissant)	Produits-marché	Structure organisationnelle de base
1	Produit unique. Marché local	Directeur général
2	Produit unique. Marché national	Directeur général + spécialistes opérationnels
3a	Produit unique. Marché multinational	Directeur général + spécialistes géographiques + spécialistes opérationnels
3b	Produits multiples. Marché national	Directeurs général + spécialistes de produit + spécialistes opérationnels
4	Produits multiples. Marchés multiples	Directeur général + responsables géographiques + responsables de produit + spécialistes opérationnels Directeur général + responsables de produit + responsables géographiques + spécialistes fonctionnels

Source : D'après W. D. Guth, *Growth and Corporate Development*, Note de travail non publiée, Columbia University, Graduate School of Business, 1971

Les stades 1 et 2 sont caractérisés par cette activité monoproduit et monomarché correspondant à une organisation de type entrepreu-

---

(3) D'après W. D. Guth, *Growth and Corporate Development*, Note de travail non publiée, Columbia University, Graduate School of Business, 1971.

narial. Le responsable de l'entreprise assure l'essentiel des fonctions de l'entreprise et dans le stade 2... se dote de collaborateurs pour effectuer certaines tâches déléguées.

Le stade 3 correspond à l'organisation fonctionnelle constituée par le dirigeant entouré de responsables par fonction et notamment de spécialistes géographiques.

Le stade 4 imposé par la multiplicité des fonctions horizontales et verticales conduit à la constitution de divisions opérationnelles indépendantes, responsables de l'ensemble des tâches de l'entreprise.

D'autres écoles mettent en avant les phases de la vie du produit et leurs influences sur le système de management (voir figure IV-2).

Figure IV-2 : Vie du produit et système de management (4)

Etapes de la vie d'un produit	Introduction	Croissance	Maturité	Déclin
Caractéristiques du management	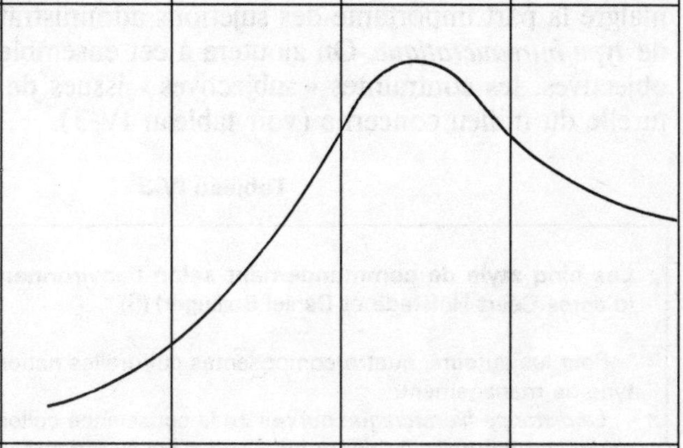			
Management	Entrepreneur	Gestionnaire professionnel	Administrateur	« Ecrémeur »
Communication	Informelle	Formelle	Formelle	Autoritaire
Horizon	Long	Long	Moyen	Court

Source : D'après Wright R.V.L., *Strategy Centers, A contemporary Managing Systems*, Arthur D. Little, 1973, reproduit par *Les Cahiers de la Fuege*, voir note 2.

---

(4) D'après Wright R.V.L., *Strategy Centers, A contemporary Managing Systems*, Arthur D. Little, 1973.

Enfin, les rapports entre technologie et structures ne sont pas neutres : Bens Stalker estime ainsi que dans les industries dépendantes d'une technologie stabilisée, on trouve des systèmes de gestion de type mécaniste et formaliste alors que dans les industries de troisième génération industrielle, les systèmes de gestion sont de type organique où la règle formelle est quasiment inexistante et la prise de décision largement décentralisée.

En conclusion, pour Galbraith, « le facteur clé dans la détermination des types de structures réside dans la simplicité des actions et la pleine vectibilité de leurs conséquences ». En d'autres termes, plus grande est l'incertitude, plus mouvant l'environnement, et plus complexes les tâches multiformes, plus souples devraient être les éléments d'organisation ; inversement, plus la tâche est simple, l'horizon stabilisé et plus précise en est la manière dont sont définis les règles de procédures, les pouvoirs et les niveaux hiérarchiques.

On verra plus loin que les contraintes de l'international obligent rapidement à concevoir des structures de *type organique* s'opposant, malgré la part importante des sujétions administratives aux structures de *type bureaucratique*. On ajoutera à cet ensemble de considérations objectives, les contraintes « subjectives » issues de l'origine socioculturelle du milieu concerné (voir tableau IV-3).

Tableau IV-3

Les cinq style de commandement selon l'environnement socioculturel
(d'après Geert Hofstede et Daniel Bollinger) (5)

Pour les auteurs, quatre composantes culturelles nationales définissent un type de management.

La distance hiérarchique qui reflète la conscience collective du pouvoir : la révérence naturelle du subordonné pour les supérieurs, l'héritage du mythe du chef dans certaines sociétés, s'opposent à la hiérarchie *fonction* acceptée pour des raisons essentiellement techniques et fondée sur la répartition des tâches.

Le contrôle de l'incertitude correspond au comportement des hommes face au futur. Toutes les sociétés humaines recherchent, face à l'anxiété que suscite la prise en compte d'un avenir incertain, des anticorps tels que la *technologie* (réduction des incertitudes causées par les forces de la nature), la *loi* (réduction des incertitudes liées au comportement des hommes) et la *religion* (atténuation des incertitudes de caractère métaphysique).

(à suivre)

---

(5) *Les Différences culturelles dans le management*, Les Editions d'Organisation, Paris, 1988.

L'acceptation de l'incertitude propre aux Anglo-Saxons génère un comportement de liberté et de tolérance, le reflux de cette dernière engendre des comportements protectionnistes et favorisent l'étatisme, sinon le totalitarisme.

Le comportement social

Les cultures individualistes communautaires

Le développement économique accroît nettement l'individualisme des habitants. Les auteurs mettent en évidence une corrélation forte entre le capitalisme, le développement de la concurrence, l'accroissement de la richesse et l'évolution vers un individualisme de plus en plus marqué.

Dominante par la différenciation sexuelle

La structure biologique des groupes humains des premiers âges conduit à des différenciations de fonction : la chasse, la culture agricole, la gestion et la défense du groupe par les hommes, l'entretien du foyer et l'éducation des enfants, apanage des femmes, d'où la survivance de cette répartition des rôles : domestiques pour la femme, économiques et politiques pour l'homme.

Dans les sociétés masculines, l'homme mise sur l'argent, les biens matériels et l'affirmation de soi. Dans les sociétés féminines, les valeurs s'orientent sur la qualité de la vie, l'abondance pour tous, le respect de la vie et de l'environnement...

Cette typologie peut déterminer ainsi des styles de commandement :

Composantes culturelles	Pays (6) européens latins	Pays germano-phones	Pays anglo-saxons	Scandi-navie	Japon	Pays musul-mans
Grandes distances hiérarchiques	x				x	x
Courtes distances hiérarchiques		x	x	x		
Incertitude faiblement contrôlée			x	x		x
Incertitude contrôlée	x	x				
Type individualiste	x	x	x	x		x
Type communautaire					x	
Masculinité		x	x		x	x
Féminité	x			x		

(à suivre)

(6) France, Espagne, Portugal.

M. Bollinger conclut ainsi (*Moci* n° 854 du 6 février 1989) sur la typologie des structures d'organisation :

« — Une distance hiérarchique courte et un faible contrôle de l'incertitude comme les pays scandinaves et anglo-saxons entraînent une organisation qui ressemble à une place de marché : ni formalisée, ni centralisée, les relations entre les individus et les procédures de travail sont plus souvent ouvertes à la négociation et à l'improvisation.

— Une distance hiérarchique haute et un faible contrôle de l'incertitude comme en Afrique noire, en Inde et dans certains pays du Sud-Est asiatique (Singapour, Hong Kong, Philippines) déterminent un modèle d'organisation qui ressemble à une famille élargie centralisée par le père de famille, mais non formalisée. Les relations entre les individus sont strictement prévues, mais pas les procédures de travail.

— Une distance hiérarchique courte et un fort contrôle de l'incertitude comme en Allemagne, génèrent une organisation bien huilée avec des pignons qui s'emboîtent les uns dans les autres comme une machine (structures formalisées, mais décentralisées). Là, au contraire des types précédents, les procédures de travail sont strictement prévues, mais pas les relations entre les individus en dehors de leur rôle.

— Enfin une grande distance hiérarchique, alliée à un fort contrôle de l'incertitude comme en France et au Japon, engendre une organisation bureaucratique pyramidale (à la fois formalisée et centralisée). Les procédures de travail, aussi bien que les relations entre les individus, sont prévues d'une manière rigide, soit par des règles formelles ou des lois, soit par la coutume et la tradition. »

Section 2 : L'insertion de l'international dans l'entreprise

2.1. Les tâches et les missions de l'international

Nous avons attiré l'attention du lecteur, dans les premières pages de cet ouvrage, sur le caractère envahissant, pour ne pas dire totalitaire, de la fonction internationale dans l'entreprise. « Art, tout d'exécution », la guerre moderne a ceci d'incontestable qu'elle engage l'ensemble des forces vives des nations. La guerre économique impose la même mobilisation des structures de l'entreprise.

L'action internationale, comme toute offensive de caractère militaire, doit se dérouler à trois niveaux :

— *le niveau stratégique :* définition par l'état-major des finalités et des moyens de l'action,

— *le niveau d'intervention :* mise en œuvre matérielle sur le terrain des moyens d'action en vue d'occuper la zone convoitée,

— *un niveau d'organisation :* mise en place des moyens d'occupation du terrain conquis.

En l'occurrence, la mission stratégique reviendra à la *direction générale* ou à la division internationale, la mission d'intervention, à *la force de vente*, la mission d'occupation sera dévolue à l'*administration des ventes* et à la gestion.

En pratique, on résumera ci-après les trois fonctions (voir figure IV-4).

Figure IV-4 : La fonction exportation

pilotage → Objectifs

direction → Animation

→ Coordination interne et externe

→ Contrôle

→ Missions exceptionnelles

transmission → Traitement des offres

S.A.E. → Traitement des commandes

→ Dossiers commandes et expéditions

→ Fichiers clients

→ Livre de procédures

→ Gestion des statistiques

→ Information commerciale et réglementaire

→ S.A.V.E.

Moteurs → Courrier commercial

S.V.E. → Instructions ventes

→ Contrôle clientèle

→ Animation réseau (inspection)

→ Prospection

→ Promotion, Publicité

— *Fonction stratégique* (7) : politique générale de l'entreprise.
  ● définition des missions,
  ● interventions exceptionnelles d'entraînement,
  ● mise en place du cadre de contrôle,
  ● coordination interne et externe.

— *Fonction d'intervention* (action commerciale)
  ● études initiales (Desk research),
  ● définition du marketing-mix,
  ● prospection,
  ● négociations ponctuelles,
  ● implantation,
  ● promotion,
  ● instructions à la structure administrative.

— *Fonction d'occupation*
  ● gestion et administration des ventes,
  ● traitement des offres,
  ● traitement des commandes (voir figure IV-5),
  ● mise en place et gestion des fichiers,
  ● gestion du budget international,
  ● suivi de la trésorerie,
  ● relations avec les auxiliaires,
  ● collecte et traitement de l'information,
  ● suivi statistique,
  ● relations avec le réseau et les auxiliaires.

2.2. Les missions et les structures : dilution ou concentration

Le regroupement en trois grandes fonctions : politique générale, action commerciale, administration et finances, des principales tâches liées au développement international ne règle pas, au fond, la question du plan d'allocation et d'utilisation des ressources, autrement dit, des structures.

Comment va-t-on distribuer au sein de l'entreprise lesdites missions ? Doit-on diluer les ressources et les emplois à vocation internationale dans l'ensemble des structures de l'entreprise ?

Doit-on concentrer l'ensemble des pouvoirs et des moyens dans une cellule ultra-spécialisée ?

---

(7) Les cinq impératifs de Fayol : prévoir, organiser, commander, coordonner, contrôler.

Figure IV-5

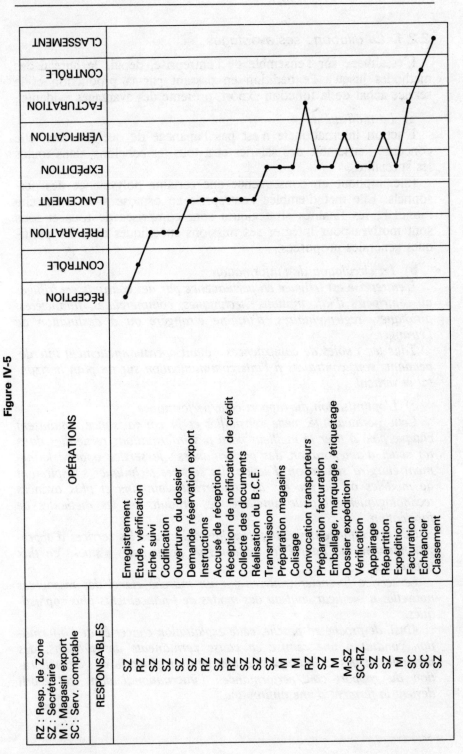

2.2.1. La dilution : ses avantages

L'essaimage sur l'ensemble de l'entreprise, depuis le bureau des méthodes jusqu'à l'expédition en passant par la production et le service achat de la fonction export, présente des avantages évidents :

a) *La motivation*

L'action internationale n'est pas l'apanage de quelques-uns, elle concerne l'ensemble des salariés et à tous les échelons, dans toutes les spécialités.

Elle implique en conséquence une certaine polyvalence des personnels. Elle met d'emblée l'entreprise en osmose avec le marché mondial ; les finalités stratégiques sont comprises de tous et tous sont motivés pour intégrer ses missions spécifiques dans les politiques générales proposées.

b) *La circulation de l'information*

L'entreprise est irriguée en permanence par des courants centrifuges ou centripètes d'informations : techniques, commerciales, financières, juridiques, réglementaires, d'origine étrangère ou à destination de l'étranger.

Tous les « pôles de compétences » étant opérationnellement interdépendants sont contraints à l'intercommunication sur un plan horizontal et vertical.

c) *L'optimisation du rapport coût/performance*

Cette perméabilité, cette sensibilité et la connaissance conduisent chaque pôle à tirer le meilleur parti des informations recueillies dans un souci d'amélioration des performances : le service approvisionnement élargira son rayon d'action, les services techniques s'inspireront de modèles ou de process de concurrents lointains et plus avancés technologiquement pour améliorer les produits ou les méthodes de fabrication.

(C'est à l'image des entreprises japonaises que les services d'approvisionnement ont adopté les systèmes de gestion des « stocks en flux tendus »).

Le service financier trouvera sur un marché élargi des ressources nouvelles à meilleur coût ou des modes de financements plus sophistiqués.

Ainsi, de proche en proche, cette exploitation concertée de l'information conduit à une remise en cause permanente des produits, des méthodes et des techniques et à une tension générale vers l'amélioration du rapport coût/performance : l'international dans cet esprit devient le ferment d'une antiroutine.

2.2.2. La dilution : ses risques

Cette vision idyllique de l'entreprise ouverte sur le monde ne doit pas dissimuler les risques inhérents à ce type d'organisation :

a) *L'inflation administrative*

Les nécessités de l'information générale et polyvalente en même temps que la réalisation matérielle des opérations et les nécessités du contrôle peuvent conduire à la mise en place de procédures administratives lourdes, de circuits d'information complexes, générateurs de pertes de temps et de lenteurs dans les processus décisionnels : c'est « l'usine fantôme », bureaucratique et papivore, née de la volonté d'une direction générale qui, par ce biais, en atomisant la prise de décision, évite la constitution de pôles de compétences trop autonomes et par cette intégration pyramidale de l'ensemble des opérations, instaure une véritable dictature du sommet.

« Evitez, écrit Deteuf, que votre personnel ne passe son temps à rendre compte des choses qu'il aurait pu faire s'il n'avait été obligé de rendre compte... »

b) *La dilution de l'autorité*

A l'autre extrémité, la mise en place d'un processus de décentralisation poussé a tendance à rendre également collective la responsabilité et à susciter le fléau du mauvais management participatif, la « réunionnite », où des sujets mal préparés sont débattus d'une manière anarchique par des gens plus soucieux de se contredire que d'agir.

L'action internationale a ceci d'irréductible et de contraignant qu'elle oblige à la décision rapide et à l'intervention immédiate, ce que n'autorisent ni la rigidité de la structure pyramidale, ni la vacuité d'un parlementarisme d'entreprise.

c) *Les difficultés de la maîtrise des coûts*

Enfin et surtout, l'organisation diluée rend difficile la mesure des coûts de l'action internationale : comment différencier, notamment au niveau des frais de structure, des heures passées au service de l'international dans la cellule recherche et développement, de celles du service expédition, du bureau des méthodes ou des services financiers ou de l'administration des ventes France export ?

Le découpage en unités d'œuvre, indispensable, si l'on souhaite pratiquer une politique des prix export cohérente est, à tout le moins, arbitraire et ne permet pas de rendre effectivement compte de la rentabilité précise d'une politique export.

2.2.3. La concentration : des plus et des moins...

L'option inverse consiste à concentrer en un lieu déterminé et sous une autorité unique, l'ensemble des tâches essentielles de l'international :
— animation générale,
— action commerciale,
— administration des ventes,
— services financiers,
— bureau d'études,
— expédition, etc.

La structure ainsi constituée présentera tous les avantages du « commando » autonome et tous les inconvénients du « corps d'élite marginalisé » :
— adaptation immédiate aux impulsions externes et internes,
— rapidité d'exécution,
— solidarité exceptionnelle des acteurs,
— procédures souples et formalisme réduit,
— centres de coûts et de profits parfaitement définis.

... Mais, en contrepartie, il existe :
— un risque de constitution d'un Etat dans l'Etat (« les gens de l'export »),
— une inflation d'un élitisme de fonction, générateur de jalousie et de conflits internes,
— une marginalisation de la fonction internationale dont le message ne circule plus dans l'entreprise,
— un accroissement des coûts de fonctionnement en raison de la non-polyvalence du personnel,
— surtout des sujétions du contrôle : les procédures de contrôle imposées par la direction générale sont, parfois, mal supportées par la cellule export car elles aboutissent à des contraintes administratives supplémentaires, à des doublons coûteux en terme de temps, de charge de travail et de frais fixes.

Elles sont en outre mal comprises, parce que le devenir international se situe hors du contexte du management général de l'entreprise.
Il est clair qu'une stratégie de développement autonome s'inspirera, pour l'essentiel, dans l'organisation de ses moyens d'action d'une structure dite diluée en s'efforçant d'en atténuer les effets pervers ou les déviations éventuelles par un système d'animation et de contrôle des hommes, aussi élaboré et consensuel que possible.
En revanche, le choix d'une stratégie de sous-traitance aura pour effet de laisser l'entreprise en l'état, c'est-à-dire essentiellement tournée vers son marché domestique ; les tiers intermédiaires qui constituent,

en France et à l'étranger, l'interface avec le marché international assurent dans ce cas la plus grande partie des opérations commerciales, administratives et financières. En l'occurrence, la spécificité des tâches laissées à l'entreprise la conduit à constituer en son sein une cellule légère qui se spécialisera dans les quelques opérations spécifiques laissées à la responsabilité de l'entreprise (ex. adaptation des produits, conditionnement, expédition, etc.).

Tableau IV-6

Tâches \ Stratégie	Sous-traitance	Concertation	Intégration
Politique générale			
— Définition missions	x	x	x
— Entraînement	—	—	x
— Interven. exceptionnelles	x	x	x
— Contrôles	x	x	x
— Négociations générales	—	x	x
— Coordination	—	x	x
Commerciales			
— Etudes initiales	x	x	x
— Marketing-mix	x	x	x
— Prospection	—	—	x
— Négociations ponctuelles	—	x	x
— Implantation	—	—	x
— Promotion	—	x	x
— Instructions diverses	x	x	x
Administratives et financières			
— Traitement des offres	x	=	x
— Traitement des commandes	—	=	x
— Traitement des fichiers	—	=	x
— Traitement des informations	—	=	x
— Relations réseau	x	=	x
— Relations auxiliaires	x	=	x
— Gestion budget	x	=	x
— Gestion trésorerie	x	=	x

Légende :
x   Tâches non déléguées
—   Tâches déléguées
=   Tâches susceptibles d'être déléguées

2.3. La délégation des tâches et les stratégies

En résumé, la répartition des missions internationales entre l'entreprise et ses partenaires variera selon le type de stratégie initialement adoptée ; le tableau IV-6 illustre cette répartition et permet d'approcher l'investissement technique, administratif et humain que supposent les choix stratégiques.

2.4. Les quatre stades de l'évolution structurelle

A côté du style de management et du type de politique de développement mise en œuvre, l'un des facteurs déterminant de l'organisation reste bien entendu l'importance prise par les relations internationales dans l'activité de l'entreprise. Le caractère stratégique de l'engagement sur les marchés étrangers sera d'autant plus patent que ces marchés représentent effectivement ou potentiellement une donnée essentielle dans la vie et l'expansion de l'entreprise. L'outil de mesure le plus simple de cet engagement international, bien qu'il ne soit pas exclusif d'autres formes d'évaluation, nous paraît être le rapport entre les ressources de l'action internationale et les ressources globales d'exploitation.

Plus prosaïquement, dans un cadre de P.M.I., le rapport chiffre d'affaires export/chiffre d'affaires général illustre encore plus clairement ce propos. A cet égard, nous distinguerons quatre seuils dans l'organisation de l'action internationale :

5 % à l'export : organisation embryonnaire,

de 5 à 20 % : organisation marginale,

de 20 à 40 % : organisation intégrée,

+ de 40 % : organisation mondialisée.

2.4.1. Organisation embryonnaire (voir figure IV-7)

Dans cette hypothèse (entre 0 et 5 % du C.A.), la politique de développement international est quasi inexistante : les ventes à l'étranger se font sous forme d'exportation, voire d'exportation indirecte : l'entreprise subit le marché international plutôt qu'elle n'agit sur ce marché. Il s'agit de répondre à des demandes et non de les susciter. Les problèmes essentiels posés à la direction de l'entreprise sont dans cette hypothèse, d'ordre administratif, financier et logistique.

Comment répondre à une demande, présenter une offre, selon les termes des règles et usances du commerce international ?

Comment préparer l'expédition en conformité avec les règlements du pays de destination, renseigner les documents de transport et de douane, effectuer les facturations, mobiliser sa créance et s'assurer du paiement ?

La priorité sera donc, à ce niveau, donnée à la constitution d'une cellule administrative légère, souvent une personne à temps partiel, capable d'exécuter ou de faire exécuter par des tiers (conseils, commissionnaires ou transitaires), dans les meilleures conditions, les opérations matérielles correspondant à la vente à l'étranger. Le plus souvent, ce secrétariat administratif export sera détaché de la fonction administrative et financière auprès du service commercial chargé de la gestion des commandes.

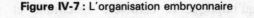

Figure IV-7 : L'organisation embryonnaire

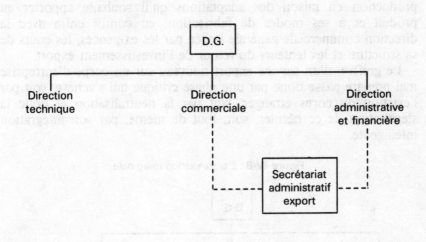

2.4.2. L'organisation marginale (voir figure IV-8)

A ce stade (5/20 % du chiffre d'affaires), les flux venus de l'international constituent un appoint à l'activité France, suffisamment important, toutefois, pour justifier un investissement de croissance.

Nous ne sommes plus dans le cadre d'une réponse à des opportunités ; le succès obtenu nous prédispose à exploiter de manière délibérée nos atouts sur les marchés étrangers.

L'investissement consistera donc, en règle générale, à recruter un spécialiste accompagné de l'allocation des ressources correspondante, destiné à accroître les moyens d'une politique exportation. Il s'agit là de la phase la plus délicate dans un processus de développement international.

On observe en effet à ce niveau de décision, notamment dans les P.M.I., une tendance à la marginalisation du cadre recruté et, souvent, à des phénomènes de rejet : placé en effet dans une position hiérarchique de subordonné, le responsable export ne peut négocier ses vues avec les titulaires des grandes fonctions de l'entreprise ; il ne peut accéder à l'arbitrage de la direction générale.

Il se trouve donc placé fréquemment en conflit avec la direction financière sur l'allocation de ses ressources : un cadre export est coûteux en soi et par les financements induits qu'il suscite ; en conflit avec la direction administrative, compte tenu des changements de procédures qu'implique le caractère spécifique et prioritaire des ventes export ; en conflit avec la direction technique et celle de la production en raison des adaptations qu'il souhaite apporter au produit et à ses modes de fabrication, en conflit enfin avec la direction commerciale générale irritée par les exigences, les coûts de sa structure et les lenteurs du retour de l'investissement export.

Le greffon d'un service export nouveau sur un corps d'entreprise mal préparé passe donc par une phase critique qui s'achève, soit par l'éviction du corps étranger, soit par la neutralisation et donc la stérilisation de ce dernier, soit, tout de même, par son intégration intelligente.

Figure IV-8 : L'organisation marginale

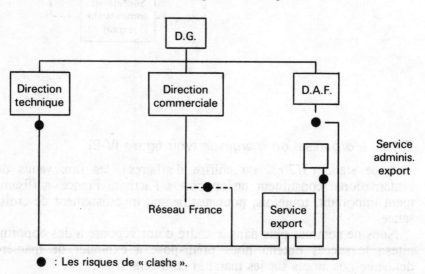

● : Les risques de « clashs ».

2.4.3. L'organisation intégrée (voir figure IV-9)

La barre des 20 % est reconnue comme la frontière entre l'exportation balbutiante et l'exportation confirmée.

Autrefois, les pouvoirs publics délivraient la carte d'exportateur aux entreprises qui atteignaient ce seuil fatidique...

A ce stade en effet, les conflits initiaux se sont résorbés parce que dans un cadre de développement autonome, la direction générale a consenti à ériger la structure exportation comme une division à part entière de l'entreprise.

Le responsable de l'international siège au comité de direction générale. A ce niveau le rapport d'autorité hiérarchique cède la place à la concertation entre pairs...

Ce type de structure intégrée est durable et se maintient sans bouleversement durant une longue période. Elle autorise en effet toutes les adaptations nécessaires, la direction générale assurant les arbitrages en cas de conflits internes.

Figure IV-9 : L'organisation intégrée

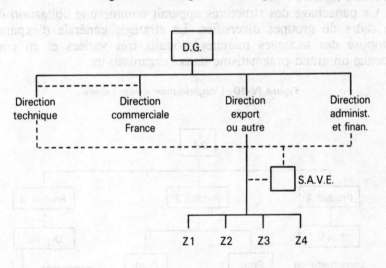

2.4.4. L'organisation mondialisée (voir figure IV-10)

Au-delà d'un seuil qui avoisine les 40 % d'activité internationale, c'est-à-dire au moment où l'ensemble des flux tirés de l'action sur les marchés extérieurs apparaît aussi important que les ressources et les emplois effectués sur les marchés domestiques, l'évolution des structures se traduit par une véritable internationalisation de l'entreprise. En effet, à côté de la nécessaire diversification marketing par zones géographiques la direction commerciale France et le service export disparaissent, cependant que se trouve constituée une direction de la production également diversifiée par zone et correspondant à la délocalisation d'activités de production usines, laboratoires, transfert de technologie à l'étranger.

Quand les autres services deviennent auxiliaires, ces deux structures travaillent en fonctionnel pour elles, à la demande, en suivant des procédures bien établies.

Le schéma de base se complique dans le cas de groupe multiproduits dans la mise en place d'organisations différenciées selon les stratégies adoptées par la direction produit concernée.

Ainsi dans le cadre global d'une stratégie de développement autonome, certains groupes de produits leaders impliqueront une structure lourde et intégrée dans certaines régions du monde alors que, pour d'autres groupes de produits et sur d'autres marchés, la délégation et la sous-traitance seront choisies d'une manière préférentielle. On aura dans ces conditions une organisation du type présenté figure IV-10.

Ce panachage des structures apparaît comme une obligation dans le cadre de groupes diversifiés. La stratégie générale d'expansion suppose des tactiques marchés/produits très variées et en conséquence un grand pragmatisme dans l'organisation.

Figure IV-10 : L'organisation « mondialisée »

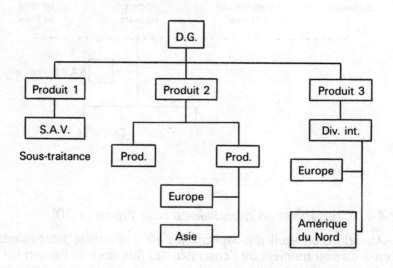

2.5 Conclusion : synthèse

Si l'on simplifie et, à la limite, si l'on caricature les réflexions contenues dans les quatre parties de l'ouvrage :
- diagnostic,
- sélection des marchés,
- implantation,
- organisation,

on résumera les choix essentiel à long terme de l'entreprise en trois grandes directions stratégiques permettant de décliner un ensemble de stratégies dérivées. (Voir figure IV-11.)

Fig. IV-11 : Stratégies internationales — synthèse

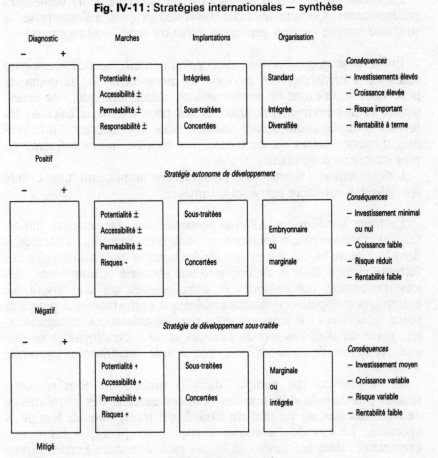

La « voie royale » qu'est la *stratégie de développement autonome* autorise pour des entreprises performantes la plus large gamme de solutions en termes de choix de marché — privilégiant néanmoins les marchés à forts potentiels et à faibles risques politiques — et de type d'implantation (les structures lourdes contrôlées plus généralement adoptées, impliquant une organisation interne élaborée).

A l'autre extrémité de la palette, *la stratégie de développement sous-traitée* intéressera essentiellement les entreprises peu armées pour la confrontation internationale : la sous-traitance des responsabilités engendrera une relative indifférence pour l'importance ou les potentialités de marchés, leur degré d'ouverture ou leur perméabilité ; la préférence ira vers l'écrémage de multiples marchés plutôt que la pénétration en profondeur de marchés sélectionnés.

En revanche, la notion de risques (de non-paiement) demeurera prédominante. Compte tenu des faiblesses propres à l'entreprise, la structure interne sera en général inspirée du type « embryonnaire ».

Enfin, la *stratégie d'action concertée* ou partiellement déléguée aura tendance à privilégier des pays où les perspectives de la demande potentielle justifieront un investissement même modique, une accessibilité et une perméabilité raisonnables pour un risque calculé ; les formes d'implantation seront variées, elles impliqueront l'intervention d'intermédiaires ou de partenaires plus ou moins influents ou plus ou moins contrôlables.

L'organisation interne sera plus évoluée impliquant une cellule spécialisée à caractère marginal ou intégré.

En toute humilité, les schémas présentés dans cet ouvrage, imparfaits et nécessairement incomplets, sont bien entendu, contestables dans la mesure où ils ne peuvent rendre compte de la multiplicité des facteurs entrant dans la définition d'une stratégie et notamment des lois d'évolution économiques et sociologiques qui conduisent les entreprises prospères et internationalement performantes à péricliter parce qu'écrasées sur leurs créneaux par des puissances multinationales, parce qu'affaiblies par de mauvais choix technologiques ou par une réduction de compétitivité liée à une insuffisante économie d'échelle.

Ils ne rendent pas compte, dans la mesure où nous ne nous situons pas dans le domaine des sciences exactes, des phénomènes de circonstances, en un mot du hasard, qui transgresse les lois de la nécessité. Le cas de l'aventure Perrier nous paraît, à cet égard, exemplaire : dans les années 1970, les eaux minérales Perrier exportaient moins de 5 % de leur production. Ce produit est un mélange d'oxygène, d'hydrogène et de gaz carbonique d'une valeur des plus faibles pour un poids considérable imposant un conditionnement coûteux, bref un produit tout à fait impropre à l'exportation.

En face, des marchés très protégés : base d'alimentation des hommes, l'eau minérale est produite partout, pays riches ou pauvres et réglementairement très surveillée.

Enfin, une entreprise déjà brillante, mais essentiellement tournée vers son marché intérieur, présentait une image nationale et sportive à vocation essentiellement hexagonale. Les structures export étaient alors quasi inexistantes, du moins embryonnaires. Soucieuse de son expansion, la direction générale du groupe envisage trois types de stratégies :

a) stratégie de sous-traitance, cession d'un know how de la marque Perrier à des exploitants de sources à l'étranger, avec le risque lié aux difficultés de contrôle quantitatif et qualitatif,

b) stratégie de développement intégrée, soit par la mise en exploitation de sources à l'étranger, soit par l'acquisition de sources existantes ; c'est ainsi qu'aux Etats-Unis, Perrier prend le contrôle de Poland's Pring, dans l'état du Maine, s'intéresse à la S.A.O. Lorenzo au Brésil et envisage d'acquérir une société d'eau gazeuse en Espagne,

c) stratégie concertée, appliquée notamment en Europe où la compétition rend difficile l'acquisition de nouvelles parts de marchés par l'entrée au capital de San Pellegrino, et par un accord de commercialisation avec Unilever en R.F.A.

Toutes ces politiques mûrement réfléchies devaient rapidement s'effacer devant le succès soudain rencontré aux Etats-Unis, marché jusqu'alors à peine effleuré et cela grâce à l'initiative d'un publicitaire astucieux, qui en quelques mois, arrive à faire de Perrier un « must », produit réservé à la bonne société américaine, et à terme très polarisé.

Les circonstances ont ainsi conduit d'une politique d'implantation industrielle et de sous-traitance à une mise en place d'une politique d'exportation directe infiniment plus profitable qui entraîne un changement de dimension de son bénéficiaire.

En matière de projection de finalités volontaires, l'humilité est la règle et les grands stratèges de l'histoire du monde ont rencontré la défaite pour avoir oublié cette éthique de modestie.

Pour notre part, nous avons seulement essayé d'indiquer une voie, une démarche intellectuelle s'inspirant d'une méthodologie rationnelle dans un domaine qui échappe — heureusement — aux seuls critères de la raison.

En ultime conclusion, nous rappellerons cet aphorisme d'Odilon Barenton, confiseur : « On peut se servir de la théorie pour choisir l'acte que l'on va accomplir, c'est de la sottise... On peut s'en servir pour justifier l'acte que l'on a accompli, c'est de l'habileté !... »

Chapitre V

Illustration
Le cas Virbac

« Les vents ne sont jamais favorables à celui qui ne sait pas où il va... »

Section 1 : présentation

La *success story* de Virbac commence dans un appartement niçois en 1968.

A l'époque où le grand monôme soixante-huitard bat son plein sur le pavé des villes, une petite équipe animée par le jeune Dr Pierre-Richard Dick travaille avec des moyens rudimentaires sur le concept Vir-Bac (1)... à usage exclusif des animaux.

Ce petit laboratoire vétérinaire qu'initialement rien ne distingue de cette nébuleuse des petits façonniers d'une profession relativement peu innovante, va connaître en vingt ans un développement spectaculaire qui le conduira à occuper 15 % du marché français, à s'implanter dans une dizaine de pays et à exporter dans quarante autres. Couronnement de cette croissance, le groupe Virbac qui occupe aujourd'hui plus de sept cents personnes et se situe dans le peloton de tête des vingt premiers laboratoires vétérinaires dans le monde, entre au second marché de Paris au printemps 1985.

---

(1) Virbac : Virologie-Bactériologie. ,

Section 2 : les concepts stratégiques de base

Cinq options stratégiques sous-tendent, depuis l'origine, cette expansion.

2.1. La spécialisation

Virbac est l'un des seuls laboratoires français à avoir misé son avenir sur le seul créneau vétérinaire, à l'inverse des grands groupes pharmaceutiques pour qui le département vétérinaire n'est qu'un appendice de la pharmacie humaine... et souvent marginal.

2.2. La recherche

7 % du chiffre d'affaires en moyenne est affecté à la recherche et développement ; cet effort intensif a permis de breveter de nombreux vaccins, notamment pour les animaux de compagnie. Ce parti pris d'avance technologique a conduit l'équipe du Dr Dick à développer des techniques de fabrication très poussées notamment dans le génie génétique, mais également à chercher des des modes d'administration nouveaux pour traiter les animaux, facilitant ainsi la tâche des utilisateurs. Ce sont, par exemple, les médicaments à libération programmée comme les antiparasitaires sur support.

2.3. La coopération professionnelle

D'emblée le Dr Dick joue la carte des canaux dits « éthiques » que sont les vétérinaires et les professions qui touchent de près le monde animal telles que les groupements d'éleveurs.
Avec ces professionnels, Virbac a su entretenir un dialogue constant et fructueux assurant ainsi l'interactivité des fonctions.

2.4. L'implantation internationale

Entreprise plus de dix ans après la création de l'entreprise, l'expansion extérieure représente aujourd'hui 50 % du chiffre d'affaires à l'étranger. A l'échelle mondiale, Virbac reste encore un groupe de taille moyenne (environ 2 % du marché), mais occupe une position dominante dans certaines spécialités : 30 % du marché mondial pour les colliers antiparasitaires pour animaux domestiques.

2.5. La capacité d'anticipation

Le véritable décollage de Virbac date en fait d'un événement auquel le Dr Dick avait préparé son équipe dès l'origine se distinguant ainsi de la grande masse des petits laboratoires en produits vétérinaires : la loi de 1975 sur la pharmacie vétérinaire. Ce texte, imposant des règles aussi strictes au domaine animal qu'à la pharmacie humaine, va conduire à l'élimination de bon nombre de sous-traitants et favorisera Virbac parfaitement organisé techniquement et commercialement pour profiter pleinement des nouvelles opportunités offertes par la loi sur un terrain largement ouvert.

Section 3 : l'inventaire des « talents »

A partir de cette brève présentation, nous allons tenter d'approcher les options stratégiques initiales et actuelles de l'entreprise à partir de ses compétences propres et de son environnement sociologique, économique et commercial.

3.1. L'entreprise

3.1.1. Les produits

(Voir tableau V-1.)
Le nombre de produits vendus par Virbac est important : environ deux cents au total mais plus d'un millier si l'on tient compte des différents types de conditionnement. Ce grand nombre de références est caractéristique de la segmentation du marché par type d'animaux, de maladie et d'élevage. Certaines de ces catégories sont des spécialités originales de Virbac, alors que d'autres appartiennent à la panoplie classique de la médecine vétérinaire.

Les solutions et suspensions stériles, les médicaments à usage oral et les produits intramammaires font partie de cette dernière catégorie. Dans le domaine des antibiotiques, Virbac présente une gamme complète par espèce d'animal et par maladie et sa position avoisine 20 % du marché français.

En biologie, la fabrication des vaccins est l'une des activités privilégiées dès l'origine de la société, notamment dans le domaine des animaux de compagnie ; Virbac détient le quart du marché français des vaccins pour chiens et chats. Autre spécialité : les colliers antiparasitaires, où il est leader européen et occupe 30 % du marché mondial. Dans ce domaine ses efforts de recherche lui permettent d'améliorer les performances d'un produit que l'on pourrait croire banalisé. Virbac n'occupe cependant que 4 % du marché américain qui, à lui seul, représente 70 % du marché total.

Tableau V-1 : Analyse stratégique : aptitudes produits

Critères	Coeff.	Note moyenne	Note finale
Facteurs physiques (note/5)			
Poids/valeur	3	+ 4	+ 12
Fragilité	2	– 4	– 8
Durée de vie	2	– 3	– 6
		– 3	+ 2
Compétences commerciales (note/5)			
Produits finis ou composants	1	+ 2	+ 2
Marge	2	+ 3	+ 6
Marque ou *made in*	3	+ 2	+ 6
Age	2	+ 3	+ 6
Gamme	2	+ 4	+ 8
Stock S.A.V.	3	– 2	– 6
Autonomie technique et commerciale	2	+ 4	+ 8
Maîtrise du produit	3	+ 4	+ 12
Transfert du savoir-faire	3	– 3	– 9
		+ 17	+ 33
Contraintes réglementaires (note/10)	3	– 8	– 24
Politique produits (note/10)	3	6	+ 18

Commentaire

Les produits vétérinaires se caractérisent par leur grande variété et des différences de contraintes selon leur nature : à titre d'exemple, certaines matières premières de base utilisées par Virbac vont coûter 100 000 F le kg, d'autres 10 F. Certains produits seront sensibles au climat, au degré d'humidité et aux variations de température, d'autres sont parfaitement stables. Ce qui apparaît singulièrement net dans l'analyse physique, c'est d'une manière générale une certaine sensibilité aux agressions extérieures, aux contraintes de durée de vie, de stockage et surtout à l'obstacle réglementaire.

On constate également de grandes variations dans les marges réalisées, selon le type de spécialité. L'innovation reste le moteur essentiel de la croissance, ainsi que l'ouverture de la gamme et la notoriété ; enfin la politique produit de Virbac, axée sur l'innovation et le souci d'autonomie technique. Sa taille et les moyens humains disponibles réduisent néanmoins ses aptitudes à transférer le savoir-faire en terme industriel. Cette faiblesse est compensée par l'expérience de Virbac en matière de savoir-faire technico-administratif qui lui permet d'en faire bénéficier ses partenaires étrangers...

3.1.2. L'appareil de production

(Voir tableau V-2.)

La production de Virbac est aujourd'hui répartie dans trois unités principales modernes, toutes regroupées sur le même site géographique de Nice/Carros :

— Virbac 1, 11 000 m^2 (administration, recherche et production chimio-thérapeutique),

— Virbac 2, 2 500 m^2 (centre de recherche et de production biologique),

— Virbac 2 bis, 1 000 m^2 (centre de production du vaccin rage),

— Virbac 4, 2 500 m^2 (centre de production de colliers antiparasitaires). Sur ce même site, une réserve foncière de 20 000 m^2 a été acquise afin de pouvoir y réaliser des implantations futures. Enfin, pour des raisons d'éloignement, une petite unité a été implantée en Australie début 1988.

Largement automatisées, ces unités de production utilisent un matériel moderne, 90 % des immobilisations ont moins de six ans et 50 % moins de trois ans. Programmées en fonction des seuils de croissance, 1973, 1978 et 1983 marquent les étapes principales de la mise à niveau industrielle. Depuis 1985, les moyens du groupe font passer les problèmes de capacité de production au second plan des préoccupations. Les investissements annuels courants atteignent un rythme de croisière de 8 à 10 millions de francs, largement couverts par la M.B.A.

Tableau V-2 : Analyse stratégique :
aptitudes de l'appareil de production

Critères	Coeff.	Note moyenne/5	Note finale
Qualité de l'appareil			
Age	1	+ 3	+ 3
Automatisation	3	+ 2	+ 6
Rationalisation des circuits	2	− 2	− 4
Contrôle de qualité	3	+ 4	+ 12
		+ 7	+ 17
Gestion de l'appareil			
Bureau des méthodes	3	+ 2	+ 6
Ordonnancement lancement	3	+ 2	+ 9
Contrôle des prix de revient	3	+ 2	+ 6
Informatisation	3	+ 2	+ 6
		+ 8	+ 27
Maîtrise des contraintes			
Séries de production	3	− 3	− 9
Approvisionnements	3	+ 4	+ 12
Goulets	2	+ 4	+ 2
Investissements	3	+ 4	+ 12
		− 9	+ 23

Commentaire

L'appareil de production de Virbac est soumis à des contraintes complexes de polyvalence, d'ordonnancement et de lancement, de souplesse et de flexibilité dans la fabrication ; la gestion de production est partiellement informatisée ; sauf quelques produits de grande série comme les colliers antiparasitaires, l'approche d'une production de masse est difficile. Au demeurant, le jugement reste positif, le contrôle de qualité demeurant l'élément essentiel de la politique industrielle et partant, commerciale. Le contrôle des coûts se met progressivement en place. Après la phase de l'investissement industriel, puis celle de l'investissement de productivité, et ensuite celle de l'investissement international, Virbac aborde la quatrième phase, celle du management et de la gestion.

3.1.3. Les potentialités commerciales

(Voir tableau V-3.)

S'inscrivant dans une approche commerciale largement fondée sur les prescripteurs spécialisés : vétérinaires (6 000 vétérinaires en France représentent 80 % des ventes de Virbac), groupement d'éleveurs, Virbac a le souci constant de la maîtrise de sa distribution. Celle-ci s'exerce en France et dans les principaux marchés du monde à partir d'une force de vente propre dans le cadre de filiales de distribution (Reading, Gifavet, Francodex, Virbac Inc, Virbac KG, Virbac Australie, etc.). La politique de notoriété initialement axée sur l'innovation évolue vers une stratégie valorisant la marque Virbac, dans un premier temps à l'étranger, et aujourd'hui progressivement sur le marché intérieur. Cette action promotionnelle globale ou ponctuelle se traduit par un effort d'investissement publicitaire qui représente aujourd'hui entre 2 et 3 % du chiffre d'affaires.

Tableau V-3 : Analyse stratégique : aptitudes commerciales

Critères	Coeff.	Note moyenne	Note finale
Dynamisme commercial (note/5)			
Croissance	3	2	6
Promotion	3	3	9
Service	3	3	9
		8	24
Expérience internationale (note/5)			
Place de l'international dans l'activité	3	3	9
Cohérence de la politique marketing France/étranger	3	2	6
Traitement de l'information internationale : économique, technique, réglementaire	2	2	4
		7	19
Capacité à maîtriser les risques (note/5)			
Répartition géopolitique	3	3	9
Degré de maîtrise de la politique export	3	3	9
Recours aux procédures publiques	2	4	8
		10	26

Commentaires

Virbac fait preuve d'un incontestable dynamisme commercial qui est le point fort de l'entreprise mais également d'un souci de prudence dans ses décisions stratégiques qui l'a conduit à rechercher l'information la plus fiable avec le maximum de concours publics et privés susceptibles d'optimiser les risques. Ce dynamisme, tempéré de réalisme, est l'une des caractéristiques de son action commerciale.

3.1.4. La capacité financière

(Voir tableau V-4.)

Au cours des dix dernières années la croissance du groupe a été particulièrement forte (+ 20 % par an en moyenne), le développement international ayant pris le relais de la France au cours des cinq dernières années. Les investissements pour la seule année 1987 se sont élevés à plus de 48 MF dont 33 MF pour l'accroissement des participations financières. La marge brute commerciale montre une sensible progression en raison de l'évolution commerciale favorisant les ventes de produits à forte valeur ajoutée en France et à l'étranger.

Les frais de personnel restent strictement proportionnels à la production, les frais financiers élevés en 1980 tendent à se réduire.

En ce qui concerne la structure financière, caractérisée par un certain déséquilibre lié notamment à la croissance rapide, elle tend constamment vers une amélioration par la mise en réserve d'une partie importante du profit. La trésorerie nette est traditionnellement négative. Il est vrai qu'en 1987 la structure financière a été profondément modifiée en raison d'une importante opération d'émission d'obligations à bons de souscription d'actions qui renforce notoirement les moyens financiers du groupe (+ 150 MF) dans la perspective d'opportunités de croissance externe.

Tableau V-4 : Analyse stratégique : capacités financières
(voir annexes Virbac)

Critères	Coeff.	Note moyenne/10	Note finale
Capacité bénéficiaire/chiffre d'affaires	3	6	18
Valeur ajoutée/chiffre d'affaires	2	4	8
Fonds de roulement/besoin de fonds de roulement	3	6	18
Autonomie financière	3	− 6	− 12
		10	+ 32

Commentaires

La situation financière de Virbac apparaît très contrastée. Sa structure financière, talon d'Achille de ce petit groupe, se trouve confortée par les ressources provenant de l'émission de bons de souscription. La chute de l'action Virbac au second marché lors du crack d'octobre 1987 n'est que le strict reflet de l'indice moyen du marché. Ses conséquences sont toutefois limitées dans la mesure où la période d'exercice des bons de souscription se situe jusqu'au 30 septembre 1991, et que d'ici là le cours du titre peut retrouver une valeur intéressante pour les porteurs de bons.

3.1.5. Les qualités du management

(Voir tableau V-5.)

L'équipe de direction animée par le Dr Dick a fait ses preuves dans les divers domaines, conduisant une entreprise de dix personnes à un groupe de sept cents collaborateurs, quarante cadres et un chiffre d'affaires de quelques millions de francs à plus de 500 millions en 1988.

Tableau V-5 : Analyse stratégique

Critères	Coeff.	Note moyenne/10	Note finale
Qualités du management			
Capacité de prévision	3	4	12
Capacité d'adaptation	2	5	10
Capacité d'animation	3	2	6
Capacité de contrôle	3	2	6
		13	34

Commentaires

Incontestablement dynamique, le management de Virbac se caractérise certes par une capacité à projeter dans l'avenir les choix fondamentaux — et à s'y tenir — mais également par une aptitude à tirer rapidement parti des opportunités qui se présentent.

Quant à l'animation des hommes et à leur contrôle, si l'on note certes un souci de favoriser un encadrement de qualité, on constate un certain décalage entre les options du management et les possibilités d'y répondre rapidement compte tenu d'un certain vieillissement de la première vague de cet encadrement, qui n'a pas toujours les capacités de passer du statut de la P.M.E. locale à celui d'un groupe international, et de la jeunesse de la deuxième vague non encore totalement opérationnelle.

On note enfin un certain retard de la direction à tirer le meilleur parti pour l'entreprise en termes de motivation des hommes, bien qu'un système d'intéressement et de plan d'épargne entreprise ait été mis en place au cours des années précédentes.

En conclusion, Virbac a incontestablement les moyens techniques, financiers et humains d'adopter une stratégie de développement autonome, ambitieuse mais nécessairement réfléchie.

Les atouts essentiels de l'entreprise : son statut de laboratoire vétérinaire performant, son savoir-faire et ses succès techniques, son dynamisme commercial ne doivent pas faire oublier certaines faiblesses structurelles, un management encore très concentré dans les mains du fondateur, certaines insuffisances d'encadrement et surtout le handicap que constitue une profession étroitement surveillée en France et à l'étranger pour des produits dont la valeur ajoutée moyenne est relativement modeste.

L'action internationale devra donc prendre en compte ces contraintes et, tout en s'appuyant sur les forces vives de l'entreprise, s'efforcer d'optimiser les risques. En fait, dès l'origine, Virbac n'a pas eu droit à l'erreur. Cette assertion est certes moins vraie aujourd'hui ; il reste que ce dernier petit groupe indépendant dans le secteur vétérinaire n'est pas sans connaître des points de vulnérabilité qui l'obligent en 1988 à consolider ses acquis sans pour autant devoir limiter ses ambitions.

Section 4 : l'incidence de l'environnement

4.1. L'environnement sectoriel de Virbac

Incontestablement, Virbac appartient au groupe des entreprises de la troisième génération : des activités issues des nouvelles technologies (chimie fine, biotechnologie, pharmacie, services évolués, etc.) caractérisées par l'importance de la part de matière grise dans la valeur ajoutée, une croissance rapide sur des marchés dispersés, une certaine vulnérabilité initiale, une interdépendance technologique et, partant une vocation internationale.

On a vu que, pour ce type d'entreprise, les options stratégiques

fondamentales étaient conditionnées par les lois d'évolution socio-économiques (voir tableau II-1) :
- l'intégration verticale (choix de bon nombre de grands groupes pharmaceutiques et chimiques),
- le transfert de technologie,
- la joint venture,
- l'absorption dans un ensemble,
- la spécialisation « fine »,
- l'essaimage, etc.

Face à ces diverses options Virbac s'est orienté dès l'origine, vers la spécialisation et partiellement le transfert de technologie en se positionnant d'abord sur le marché français et ensuite sur le marché international.

En conclusion, l'expansion sur le marché extérieur dans le cas de Virbac et des entreprises de la troisième génération n'est pas une option laissée à l'entreprise mais une nécessité vitale.

4.2. L'environnement géographique et socioculturel

Peu sensible aux contraintes logistiques, la localisation géographique de la maison mère est sans incidence sérieuse sur la compétitivité des produits. En revanche, en s'implantant dans le sud de la France, Virbac devançait le grand mouvement de transhumance des activités de matière grise vers le sud, dans tous les pays à degré de développement élevé.

Admirablement placé, à cet égard, dans un ensemble socioculturel attractif pour les cadres de haut niveau, et situé à proximité des universités de Nice, Marseille, Lyon et Grenoble, Virbac est en outre servi par l'existence de pôles de développements technologiques régionaux tel que Sofia-Antipolis ; il se trouve enfin au cœur d'un complexe touristique doté d'un réseau de transport routier et aérien particulièrement performant et adapté à cette génération d'entreprises du troisième type, contraintes à une communication internationale permanente.

En conclusion, la position géographique et l'environnement socioculturel sont favorables à l'expansion internationale.

4.3. L'insertion de Virbac dans les cycles de style de vie

Il est à noter que Virbac voit le jour au sommet de la courbe libertaire des années 68 où dominent les valeurs d'évasion, d'égalitarisme, de méfiance à l'égard de l'industrie et d'évacuation des problèmes de santé... mais également au moment de la naissance du courant écologique, du retour à la nature et à toutes ses créatures, à la protection des animaux allant jusqu'à une certaine forme d'idolâtrie...

Figure V-6 : Synthèse des aptitudes internes de Virbac

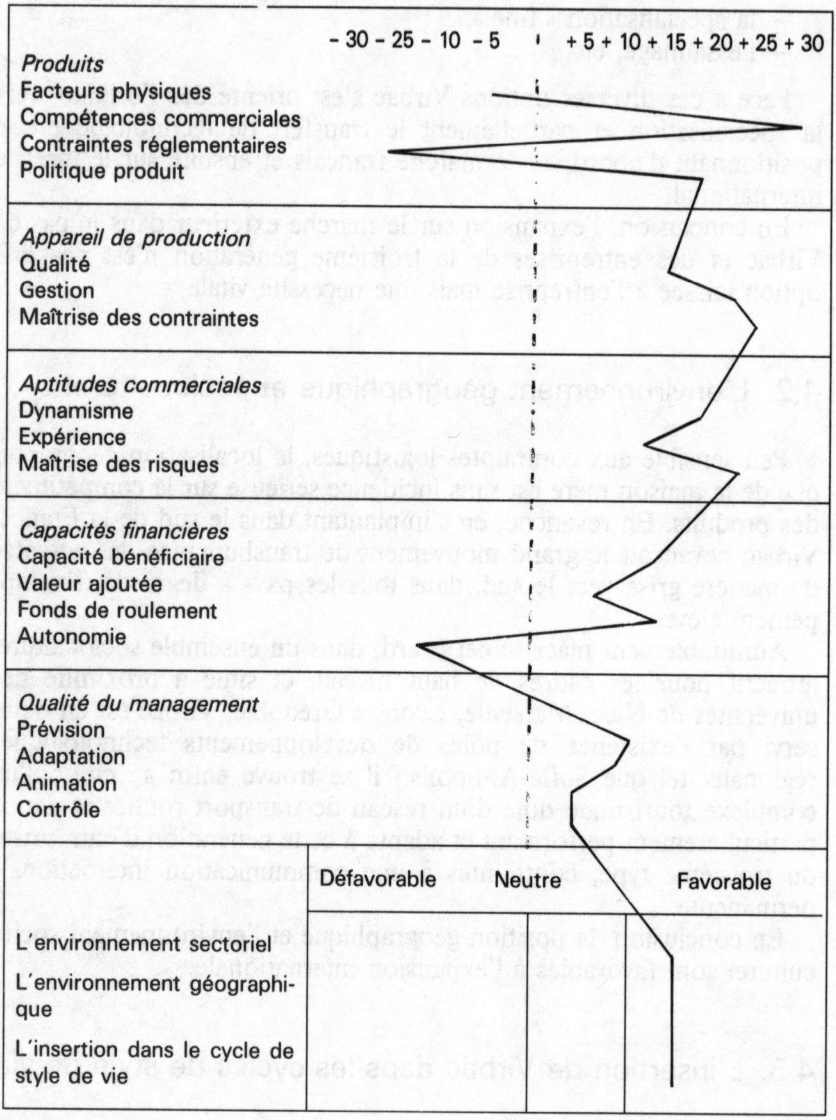

	– 30 – 25 – 10 – 5 ¦ + 5 + 10 + 15 + 20 + 25 + 30
Produits Facteurs physiques Compétences commerciales Contraintes réglementaires Politique produit	
Appareil de production Qualité Gestion Maîtrise des contraintes	
Aptitudes commerciales Dynamisme Expérience Maîtrise des risques	
Capacités financières Capacité bénéficiaire Valeur ajoutée Fonds de roulement Autonomie	
Qualité du management Prévision Adaptation Animation Contrôle	

	Défavorable	Neutre	Favorable
L'environnement sectoriel			
L'environnement géographique			
L'insertion dans le cycle de style de vie			

Le retour au dogmatisme dès l'année 1973 ne va pas contrer ce phénomène, il va l'intégrer, nous dirions l'institutionnaliser. Dans le domaine économique, l'industrie va de nouveau rentrer en grâce dans l'opinion. Virbac comprend le parti qu'elle peut tirer d'un phénomène de société qui accepte l'industrie quand elle peut faire la preuve de son utilité qualitative. C'est l'époque où naissent et se développent les grandes affaires de « petfood » (Ronron, Canigou, etc.) ; 1975 c'est la loi qui codifie les traitements de santé des animaux et la pharmacologie vétérinaire, cependant, qu'un peu souterrainement, se met en place un arsenal législatif de répression des crimes et délits contre les compagnons de l'homme. Parallèlement à une autre échelle, l'expansion du commerce international, sa démocratisation, conduisent à accentuer la surveillance médicale des élevages soumis à des contraintes d'industrialisation, de productivité de plus en plus rigoureux dans les pays développés mais également dans le tiers monde.

En conclusion, face à ce double phénomène de croissance de la demande, Virbac a fait le bon choix : la spécialité grand public (type colliers antiparasitaires), les vaccins originaux pour animaux de compagnie, mais aussi toute la gamme des produits préventifs et curatifs destinés au cheptel des animaux d'élevage. La croissance de 1975 à 1985 témoignera de l'efficacité de ce choix.

Section 5 : la sélection des marchés cibles

On se référera, dans cette partie, aux cinq critères évoqués dans le chapitre II de l'ouvrage :
— accessibilité des marchés,
— potentialité,
— perméabilité,
— sécurité,
— opportunité.

5.1. L'accessibilité des marchés

a) Facteurs physiques
Dans le cas de Virbac, ceux-ci ne sont pas fondamentaux dans les décisions stratégiques, néanmoins ils peuvent jouer sur les choix prioritaires en matière de sélection de marchés : les caractéristiques du climat (certains étant favorables à certaines épizooties et donc à leur prévention), la distance (coût des conditionnements) et d'une

manière générale, l'équipement logistique. Très logiquement, Virbac cherchera à être présent dans tous les pays dont les conditions physiques et climatiques permettent l'élevage extensif (Brésil, Argentine, Nouvelle-Zélande, Australie ou Afrique du Sud) et dans ceux où l'animal domestique a droit de cité (Europe, Etats-Unis notamment).

b) Pour ce qui est des facteurs socioculturels, l'histoire, la religion, la langue entrent pour une part non négligeable aussi bien dans la pharmacologie humaine que dans le traitement des animaux, notamment ceux destinés à l'alimentation des hommes. Enfin Virbac reste sensible au degré de développement intellectuel des pays, compte tenu du caractère évolué des technologies mises en œuvre. Ainsi, la société ne fera pas de forcing pour s'implanter en Inde ou dans les pays musulmans du Croissant fertile...

c) Pour ce qui est des facteurs économico-politique les choix de Virbac sont clairs : priorité aux marchés riches, à régime démocratique, impliquant le plus souvent un potentiel technologique élevé et, dans un deuxième temps, aux pays à économie de marché et à régime plus ou moins autoritaire, révélant d'une part, les potentialités évidentes et assurant, d'autre part, dans le cadre d'une compétition vigoureuse, un bon retour de l'investissement.

5.2. Les potentialités des marchés

Le marché mondial de la santé animale peut être évalué à une dizaine de milliards de dollars ; il se subdivise par moitié en deux catégories : les additifs alimentaires d'une part, les produits pharmaceutiques (médicaments, anti-infectieux, antiparasitaires, produits biologiques, etc.), d'autre part ; l'essentiel des produits Virbac se situe dans la deuxième grande catégorie.

Par grande zone géographique toutes catégories confondues, le marché mondial de la santé animale se répartit ainsi :

Amérique du Nord : 33 % dont Etats-Unis : 30,5 %.

Europe de l'Ouest : 26 % dont France : 5,8 ; ; R.F.A. : 4,2 % ; Espagne : 3,6 - ; Italie : 3,1 %.

Pays de l'Est : 13 %.

Asie : 12 % dont Japon : 6,9 %.

Amérique latine : 11 % dont Brésil : 4 % ; Argentine : 2,5 % ; Mexique : 1,9 %.

Afrique-Océanie : 5 %.

Cette répartition suivant les trois grandes classes de produits devient :

additif : 19 % ; médicaments : 20,5 % ; produits biologiques : 17 %.

Les deux grands segments de marchés sont, rappelons-le, les animaux d'élevage destinés aux besoins nutritionnels de l'homme et d'autre part les animaux de compagnie : chiens et chats principalement. Les deux marchés se développent mais à des rythmes différents.

L'augmentation du rendement du cheptel est une nécessité, d'autant que sa croissance, compris entre 0 et 5 % par an, est lent.

Le volume d'affaires en pharmacie animale croît à un rythme un peu supérieur car l'industrialisation des élevages tend à se poursuivre dans le but d'augmenter le rendement et, parallèlement, la prévention des maladies s'intensifie.

Le marché des animaux de compagnie qui a connu par le passé une véritable explosion, croît encore de façon importante, de l'ordre de 5 à 10 % par an, soit le double de celui des animaux d'élevage. Ce marché est principalement localisé aux Etats-Unis et en Europe occidentale.

L'évidence s'impose : l'intérêt de Virbac doit se porter sans hésitation dans un premier temps sur les grands marchés à fort potentiel : Europe de l'Ouest et Etats-Unis.

5.3. La perméabilité des marchés

Compte tenu des contraintes réglementaires propres à la quasi-totalité des pays, l'attention de Virbac s'orientera bien entendu sur les pays les... moins fermés à la technologie importée.

Peu servie par le *made in France* dans ce domaine, la société devra imposer sa propre image de marque dans les pays d'accueil. C'est ainsi que la raison sociale « Virbac » comme terme générique sera bientôt largement répandue à l'étranger, peut-être plus qu'en France où la société est diffusée par des filiales qui défendent leur propre raison sociale (Gifavet, Reading, etc.) ; la politique actuelle sera d'ailleurs d'imposer en France même le concept Virbac, déjà connu à l'étranger.

5.4. La sécurité des marchés

Le critère de risque est un facteur essentiel pour les managers de l'entreprise. La jeunesse de l'entreprise et sa taille modeste face aux grands mastodontes internationaux relativisent son droit à l'erreur.

Les pays à risques politiques, liés à leur instabilité ou leur insolvabilité, sans être écartés, *a priori,* ne sont plus considérés que comme des terrains propices à des opérations ponctuelles, bien verrouillées sur le plan du financement...

Les pays à solvabilité fragile, même potentiellement importants, ont été abordés et ont fait l'objet d'implantations lourdes comme en Egypte. Il semble que ce type d'implantation, sans être à proprement parler des échecs, pose plus de problèmes que de sujets de satisfaction à l'entreprise dont les structures et les moyens restent légers.

5.5. L'opportunité des marchés

Le tournant pris par Virbac dans les années 80 a rendu très marginales les opérations au coup par coup ; elles sont admises à condition dêtre sans risque et de ne pas mettre en cause les courants d'exportation traditionnels.

Les pays de l'Est, via notamment les sociétés commerciales spécialisées, peuvent présenter des opportunités intéressantes sans entraîner d'investissements financiers ou commerciaux pénalisants.

5.6. Synthèse

(Voir tableau V-7.)

La récapitulation de ce qui précède nous permet de coter les grandes catégories de marchés compte tenu des spécificités de l'entreprise.

Tableau V-7 : Les choix de Virbac

	Coeff.	Pays développés		Nouveaux pays industrialisés (N.P.I.)		Pays socialistes		Pays sous-développés (P.S.D.)	
		note	total	note	total	note	total	note	total
Accessibilité	1	3	3	2	2	2	2	2	2
Potentialité	3	3	9	2	6	2	6	2	6
Perméabilité	3	2	6	2	6	1	3	1	3
Sécurité	3	3	9	2	6	2	6	− 1	− 3
Opportunité	1	1	1	2	2	3	3	2	2
TOTAL			28		22		20		10

En conclusion, les marchés à privilégier restent ceux des pays industrialisés suivis des N.P.I. La progression sur les marchés de l'Est et les P.S.D. qui restent des marchés relativement importants se heurte à des problèmes de risques et de maturité dans le développement.

Section 6 : la présence à l'étranger

La mise en œuvre du tableau III-9 nous amène à privilégier dans les marchés riches, néanmoins relativement fermés, cas général, et dès lors que l'homologation a pu être obtenue, l'implantation lourde par voie de filiales, créées de toutes pièces ou issues de la croissance externe ; cette politique correspond à la *stratégie de développement autonome*, dont Virbac peut se prévaloir.

Toutefois, la légèreté des structures de l'entreprise et ses faiblesses (moyens financiers initiaux modestes, moyens en hommes limités, expérience internationale récente) peuvent la conduire à rechercher ponctuellement et tactiquement des partenaires, à abandonner, selon le cas, une partie de sa souveraineté commerciale pour des alliances et même à la limite des sous-traitants commerciaux.

Les filiales de fabrication sur des marchés trop étroits, comme l'Espagne posent des problèmes difficiles et Virbac s'oriente de plus en plus vers des joint venture ou carrément des cessions de licences.

Conclusion géographique de l'implantation : au total sur les grands marchés à mode de vie voisin du nôtre, Virbac est implantée par voie de filiale commerciale à 100 % : en Grande-Bretagne, en R.F.A., en Suisse, en Italie, en Espagne, en Hollande, aux Etats-Unis (société rachetée à 100 %). (Voir tableau V-8.)

Sur les autres marchés plus étroits, mais également développés, la société passe par des distributeurs sur lesquels elle exerce un droit de contrôle, notamment par l'apport d'un know how qui a permis l'homologation de ses produits.

Sur les N.P.I., la société est présente avec des structures lourdes sur des marchés à forte potentialité, très concurrentiels [filiale au Brésil, projet d'implantation en Argentine et au Mexique, filiale en Egypte (opportunité), filiale en Australie qui rayonne également sur la Nouvelle-Zélande].

En revanche sur le Sud-Est asiatique, marché potentiellement considérable, Virbac a mis en place un point d'observation sous la forme d'un bureau de représentation à Taiwan : les problèmes de réglementation et de risques financiers freinent des initiatives plus

Tableau V-8 : Mode de présence
Les choix possibles de Virbac sur les marchés européens

GRILLE DE SÉLECTION DE CANAUX

1 — Possible ou indifférent
2 — Conseillé   3 — Recommandé

CRITÈRES MARCHÉS (chaque mode comporte deux sous-colonnes : + et –)

Groupe		Contrôlé					Semi-contrôlé						Sous-traité			
Charge		lourde			légère		lourde			légère			lourde		légère	
Mode		Filiale industrielle	Filiale commerciale	Filiale mixte	Représentant salariés	Agent commission	Licencié	Distributeur + P.P.	Franchise	Piggy-back	Groupt Joint venture	Commission à la vente	Import/Distrib.	Import. concess.	Sté comm.	Commission achat
	+/–	+ –	+ –	+ –	+ –	+ –	+ –	+ –	+ –	+ –	+ –	+ –	+ –	+ –	+ –	+ –
Potentialité • Dimension actuelle et future		2 –	3 –	3 1	2 –	1 2	1 2	2 –	3 –	2 3	2 1	1 2	2 2	3 1	1 3	1 3
Perméabilité • Degré d'ouverture		1 3	3 1	2 2	2 –	1 1	– 3	2 –	3 –	1 2	2 1	1 1	2 1	3 1	1 3	1 3
• Affinités socio-économ.		1 2	3 –	2 1	2 –	– 3	1 2	2 3	3 –	2 3	2 1	1 3	2 3	3 2	1 3	1 3
Sécurité • Risques politiques		3 –	1 –	2 –	2 –	1 3	3 1	3 1	3 –	2 3	2 1	2 1	1 2	1 –	1 3	1 2
• Moralité commerciale		3 –	3 –	3 –	3 3	1 2	3 –	2 3	3 –	1 2	2 1	2 1	1 2	2 1	1 3	3 2
Accessibilité • Proximité		– 3	3 1	2 2	2 3	1 2	– 3	2 3	3 1	1 3	1 3	1 3	1 1	2 3	1 3	1 3
Total		12	15	12	11	5	11	11	15	10	10	8	8	12	8	10

Tableau d'évaluation (notation par critère, avec colonnes « + » et « – »).

CRITÈRES PRODUITS
- Avantages techniques
  - poids/volume
  - solidité/durée de vie
- Contraintes commerciales
  - marques
  - investissement promot.
  - gamme
  - stocks et maintenance
- Facilités réglementaires
  - abs. de normes, homologation, etc.
- Total

CRITÈRES FIRMES
- Performances
- Expérience internationale
- Capacité hommes
- Capacité financière
- Capacité production
- Total

Total général

Totaux lisibles par colonne :

Colonne	Total produits	Total firmes	Total général
1	6	7	23
2	8	4	20
3	14	7	33
4	9	4	21
5	7	4	19
6	6	7	23
7	7	6	23
8	12	11	**38**
9	7	12	30
10	8	7	26
11	7	5	17
12	9	9	29
13	9	11	32
14	13	12	**40**
15	9	9	30

audacieuses... pour l'instant, sauf au Japon qui représente une grande partie de l'activité réalisée dans cette région. (Voir tableau V-9.)

Sur les marchés de l'Est qui constituent également des marchés potentiellement importants, l'impossibilité — pour le moment — de pratiquer une véritable stratégie de développement autonome, ainsi qu'une insuffisance de maturité de recherche et de développement dans ce secteur, conduisent à entretenir des courants d'exportation très irréguliers et le plus souvent sous-traités.

Les P.V.D., pour les mêmes raisons, auxquelles s'ajoutent des problèmes de solvabilité, demeurent des marchés marginaux pour Virbac, ce qui l'a conduit à jouer selon le cas les opportunités ou à la limite la sous-traitance par cession de licence. De toute évidence, sur ces marchés fermés et risqués, l'implantation industrielle, en raison de ses contraintes financières, techniques et humaines n'apparaît pas aux dirigeants de Virbac comme la panacée pour s'imposer durablement.

Commentaires

1. Marchés européens
Tous les facteurs concordent : l'implantation par voie de filiale commerciale s'impose...
Un terrain à explorer : la franchise vétérinaire...
Une première dans le genre ?

2. Marché du Sud-Est asiatique
En solution d'attente : des importateurs fidélisés par des prises de participation significatives.

Le piggy-back est recommandé sur ces marchés difficiles et à risque, mais peu adapté au type de produits et surtout au profil de Virbac.

En dépit des sérieuses contre-indications du point de vue des marchés, la filiale commerciale, compte tenu des qualités de l'entreprise, garde toute sa séduction.

Tableau V-9 : Les choix possibles de Virbac sur les marchés du Sud-Est asiatique

GRILLE DE SÉLECTION DE CANAUX

Légende : 1 — Possible ou indifférent   2 — Conseillé   3 — Recommandé

Contrôle	Poids	Canal	Potentialité (Dimension actuelle et future)	Perméabilité (Degré d'ouverture)	Affinités socio-écono.	Sécurité (Risques politiques)	Moralité commerciale	Accessibilité (Proximité)	Total	Critères Produits	Critères Firmes	Total général
Sous-traité	légère	Commission achat	1 / 3	1 / 3	1 / 3	1 / 2	3 / 2	1 / 3	14	6	7	27
Sous-traité	lourde	Sté comm.	1 / 3	1 / 3	1 / 3	1 / 3	1 / 3	1 / 3	16	8	4	[28]
Sous-traité	lourde	Import. concess.	3 / 1	3 / 1	3 / 2	1 / -	2 / 1	2 / 3	10	14	7	[31]
Sous-traité	lourde	Import./Distrib.	2 / 2	2 / 3	2 / 3	1 / 2	1 / -	1 / 1	11	9	4	24
Semi-contrôlé	légère	Commission à la vente	1 / 2	1 / 1	1 / 3	2 / 1	2 / 1	1 / 3	10	7	4	21
Semi-contrôlé	légère	Groupt Joint venture	2 / 1	2 / 1	2 / 1	2 / 1	2 / 1	1 / 3	9	6	7	22
Semi-contrôlé	légère	Piggy-back	2 / 3	1 / 2	2 / 3	2 / 3	1 / 2	1 / 3	15	7	6	[28]
Semi-contrôlé	lourde	Franchise	3 / -	3 / -	3 / -	3 / 2	3 / -	3 / 1	4	12	11	27
Semi-contrôlé	lourde	Distributeur + P.P.	2 / -	2 / -	2 / 3	3 / 1	2 / 3	2 / 3	12	7	12	31
Semi-contrôlé	lourde	Licencié	1 / 2	- / 3	1 / 3	1 / 2	- / 3	1 / 3	10	8	7	25
Contrôlé	légère	Agent commission	1 / 2	1 / 1	- / 3	1 / 3	1 / 2	1 / 2	12	7	5	24
Contrôlé	légère	Représentant salariés	2 / -	2 / -	2 / -	2 / -	3 / 3	2 / 3	8	9	9	26
Contrôlé	lourde	Filiale mixte	1 / -	2 / 2	2 / 1	2 / 1	3 / -	3 / 2	5	9	11	25
Contrôlé	lourde	Filiale commerciale	3 / -	3 / 1	3 / -	1 / -	3 / -	3 / 1	5	13	12	[30]
Contrôlé	lourde	Filiale industrielle	2 / -	1 / 3	1 / 2	3 / -	3 / 1	- / 3	9	9	9	27
			+ / -	+ / -	+ / -	+ / -	+ / -	+ / -	+		+	

CRITÈRES MARCHÉS

CRITÈRES PRODUITS

CRITÈRES FIRMES

Section 7 : l'organisation

Les structures de Virbac ont évolué avec la croissance et l'internationalisation de la firme. Elles restent toutefois marquées par un management relativement centralisé et par la personnalité de son fondateur.

En 1988, un nouvel organigramme a été mis en place qui témoigne du souci de la direction générale d'assurer, dans le cadre d'une politique budgétaire et d'un contrôle strict de gestion, une plus large délégation des différents départements.

Le chiffre d'affaires international atteignant près de 50 % des ventes, l'organigramme a un caractère intégré. (Voir figure V-10.)

Commentaires

La direction générale du groupe est assurée par un président, assisté de deux directeurs généraux ayant plus spécifiquement en charge, l'un le domaine des achats, de la production et de l'assurance qualité, et l'autre le domaine de l'administration et de la finance.

Le comité de direction est également composé, outre ces derniers, du directeur de la division France, du directeur de la Division internationale et du directeur de la Recherche et du Développement.

Sur le plan opérationnel, il existe huit grandes directions se rapportant à la direction générale. Chacun des services est rattaché, soit à une direction, soit à une filiale.

En ce qui concerne les filiales, l'ensemble du domaine administration et finances est rattaché à la direction correspondante du groupe Virbac et non à la division France ou internationale.

La filiale est animée par un responsable qui, dans le cadres des objectifs définis par la direction générale, dispose d'une grande autonomie dans la gestion de l'entité. Cela est vrai dans le domaine du commercial, mais également dans la gestion courante administrative et financière, étant entendu que dans ce dernier domaine, toute décision importante est au préalable soumise au siège.

Pour sa part, le comité de direction générale constitue une cellule de restriction et de coordination.

En érigeant en directions à part entière la cellule Recherche et Développement, l'Assurance Qualité et des Achats qui sont dans d'autres entreprises, le plus souvent, rattachées à des directions techniques, le management témoigne du souci d'entretenir ces

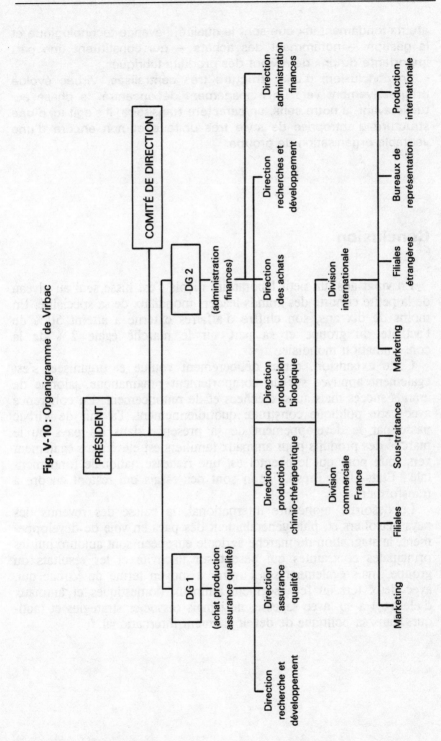

Fig. V-10 : Organigramme de Virbac

atouts fondamentaux que sont la qualité, l'avance technologique et
la gestion — notamment des achats — qui constituent une part
importante du prix de revient des produits fabriqués.

En conclusion, d'une structure très centralisée, Virbac évolue
progressivement vers un management déconcentré, la phase actuelle ayant, à notre sens, un caractère transitoire. Il s'agit ici d'une
structure d'entreprise de style très unitaire et non encore d'une
véritable organisation de groupe.

Conclusion

En vingt ans, un petit laboratoire niçois s'est hissé seul au niveau
de la petite cohorte des grands leaders mondiaux de sa spécialité. En
moins de dix ans, son chiffre d'affaires externe a atteint 50 % de
l'activité du groupe et sa part sur le marché égale 2 % de la
consommation mondiale.

Cette expansion, certes délibérément voulue et organisée, s'est
également appuyée sur un comportement pragmatique, jalonné de
grands succès mais aussi d'échecs et de renoncement. En cohérence
avec cette politique construite quotidiennement, l'avenir de Virbac
passe par le développement de sa présence dans les pays où le
marché des produits pour animaux familiers est élevé mais également
vers ceux pour qui le cheptel est une richesse nationale fondamentale : Etats-Unis, Brésil, Japon sont des essais qui restent encore à
transformer.

Le désordre monétaire international, la baisse des revenus des
pays pétroliers et, plus généralement des pays en voie de développement, la stagnation du marché agricole européen sont aujourd'hui les
principales contraintes qui pèsent sur l'activité et les résultats du
groupe, mais également sur l'avenir à moyen terme de Virbac qui,
avec deux fers au feu (segment animaux domestiques et animaux
d'élevage) a su, avec sagesse, ne jamais dissocier stratégies et tactiques dans sa politique de développement international.

ANNEXES

ANNEXES

Virbac : les implantations intégrées

SOCIÉTÉS *Renseignements détaillés*	CAPITAL	Réserve et report à nouveau avant affectation des résultats	Quote-part capital détenu (en pourcentage)
A) Filiales (50 % au moins du capital détenu par la société)			
ALFAMED S.A. Saint-Laurent-du-Var (F)	262 080 FRF	716 836 FRF	99,40
FRANCODEX S.A. Carros (F)	14 950 000 FRF	2 659 182 FRF	99,45
GIFAVET S.A.R.L. Carros (F)	2 776 000 FRF	1 946 981 FRF	95,56
INTERLAB S.A. Carros (F)	1 000 000 FRF	388 647 FRF	82,90
READING S.A.R.L. L'Hay-les-Roses (F)	101 000 FRF	3 614 709 FRF	99,01
ANIMED B.V. Pays-Bas	100 000 NLG	1 663 546 NLG	50,56
LABO-VET-MED GmBH Allemagne	50 000 DEM	—	90
VIRBAC A.G. Suisse	50 000 CHF	(1 768) CHF	99,60
VIRBAC LIMITED Angleterre	2 000 GBP	(8 046) GBP	94,95
VIRBAC DO BRASIL Brésil	5 000 000 BRC	—	95
VIRBAC INC. E.U.A.	10 753 USD	29 241 USD	93
VIRBAC LABORATORIOS S.A. Espagne	100 000 000 ESP	(2 788 352) ESP	99,90
VIRBAC PTY Limited Australie	800 000 AUD	—	62,50
VIRBAC TIER.HANDEL GmBH commandité Allemagne	52 500 DEM	—	90
VIRBAC TIERARZNEIMITTEL-HANDEL GmBH & KG Allemagne	800 000 DEM	—	90
VIRBAC PHARMA GmBH Allemagne	200 000 DEM	(116 347) DEM	100
VIRBAC SRL Italie	99 900 000 ITL	(335 966 409) ITL	99,90
B) Participations (10 à 15 % du capital détenu par la société)			
PANPHARMA S.A. Fougères (F)	1 000 000 FRF	4 376 146 FRF	44,50
SILAB S.A. Madrias Objat (F)	2 000 000 FRF	(367 570) FRF	22,50
VIRBAC ÉGYPTE (partnership) Egypte	50 000 EGP	(24 406) EGP	49

C) Renseignements globaux concernant les autres filiales et participations
a) dans les sociétés françaises
b) dans les sociétés étrangères

Virbac : bilan consolidé — Actif

en milliers de francs

Actif	1987 Brut	1987 Amortissements	1987 Net	1986 Net	1985 Net
Capital souscrit non appelé	79		79	691	
Immobilisations corporelles	104 395	48 258	56 137	47 209	45 586
Terrains	5 654	58	5 596	3 579	3 480
Constructions	49 501	16 010	33 491	25 816	27 451
Matériel, outillage, équipements	48 622	32 190	16 432	16 667	14 443
En-cours	39	—	39	678	212
Avances et acomptes	579	—	579	469	—
Immmobilisations incorporelles (1)	50 204	9 369	40 834	17 674	17 448
Immobilisations financières (1)	6 186	1 232	4 954	6 340	9 644
Titres de participation et créances rattachées	3 089	1 232	1 857	3 049	3 793
Autres	3 097	—	3 097	3 291	5 851
Valeurs d'exploitation	73 705	1 258	72 447	59 529	45 199
Valeurs réalisables	160 198	8 603	151 596	132 175	115 416
Clients et effets à recevoir	120 684	8 554	112 131	95 241	92 881
Autres créances	23 084	49	23 035	28 294	16 438
Compte de régularisation actif	16 430	—	16 430	8 640	6 097
Valeurs disponibles	145 376	1 381	143 995	23 385	10 047
Valeurs mobilières de placement	117 075	1 381	115 694	13 847	531
Banques et caisse	28 301	—	28 301	9 538	9 516
Total actif	540 143	70 101	470 042	287 003	243 340

(1) La survaleur antérieurement incluse dans les immobilisations financières a été reclassée dans les immobilisations corporelles.

Virbac : bilan consolidé — Passif

en milliers de francs

Passif	1987	1986	1985
Capitaux propres et réserves (part du groupe)	116 116	95 299	75 932
Capital social	31 173	31 126	26 272
Réserves et prime d'émission	49 962	40 204	25 066
Réserves de consolidation	8 713	545	708
Résultat de l'exercice	26 200	23 324	18 571
Provisions réglementées	68	100	5 315
Ressources assimilables aux fonds propres	2 543	2 631	11 758
Intérêts minoritaires	11 287	8 768	5 122
Dans capitaux propres	9 250	5 810	4 017
Dans résultat	2 037	2 958	1 105
Provisions pour pertes et charges	17 530	13 595	5 955
Autres dettes financières	208 343	61 439	50 052
Dettes d'exploitation	73 104	66 729	51 947
Commerciales	25 050	20 980	17 640
Fiscales et sociales	4 047	3 399	834
Autres			
Dettes diverses	2 645	3 124	10 262
Sur immobilisations	6 380	4 916	5 041
Fiscales	2 307	5 266	8 425
Autres	690	857	372
Compte de régularisation passif			
Total passif	470 042	287 003	243 340

Virbac : bilan consolidé

en milliers de francs

Valeur (en FRF) des titres détenus nette	Prêts et avances consentis et non remboursés	Montant des avals et cautions fournis	Chiffre d'affaires du dernier exercice (FRF)	Bénéfice net ou perte (—) du dernier exercice (FRF)	Dividendes encaissés (FRF)
4 490 400	—	21 058	6 985 274	127 484	
14 868 100	—	500 000	36 988 245	614 498	
3 099 510	31 934	1 900 000	56 816 378	4 596 366	954 936
829 000	—	—	—	243 523	
3 465 000	9 434	—	66 824 336	8 016 602	5 900 000
2 981 000	—	—	26 730 859	1 160 083	
424 986	—	—	4 074 688	(64 786)	
182 427	1 286 038	—	6 451	(152 275)	
19 805	225 143	—	983 900	3 139	
630 634	—	—	—	(334 160)	
86 150	—	—	15 848 816	(344 932)	
5 002 253	1 219 779	2 860 000	20 419 356	(1 071 298)	
2 164 400	—	—	2 249 077	(418 320)	
248 568	—	—	—	5 311	
8 026 463	877 871	—	30 694 797	252 256	903 664
467 782	—	—	1 417 815	5 531	
451 695	608 538	750 000	10 832 462	1 672 852	
45 000	21 610	4 450 000	28 928 046	1 067 974	
450 000	—		2 553 543	666 435	
155 248	90 564	15 320 400	19 360 398	(1 692 208)	
1 762 209					

en milliers de francs

Virbac : comptes de résultats consolidés

	1987	1986	1985
Chiffre d'affaires hors-taxe	473 918	431 940	351 850
Variation stocks produits finis	- 1 481	4 016	5 486
Autres produits d'exploitation et reprises de subventions	6 908	6 961	1 980
Produits d'exploitation	479 345	442 917	359 316
Achats	-205 950	-197 240	-165 320
Variation stocks matières	15 472	5 782	5 138
Charges externes	- 94 282	- 81 537	- 60 569
Valeur ajoutée	194 585	169 922	138 565
Frais de personnel	-113 657	-101 697	- 80 178
Impôts et taxes	- 6 916	- 6 624	- 6 222
Excédent brut d'exploitation	74 012	61 601	52 165
Dotation amortissement	- 13 199	- 10 753	- 10 202
Dotation provisions	- 6 925	9 638	2 489
Reprise provisions et amortissements	6 249	7 652	2 125
Autres charges et produits	- 8 350	- 2 229	1 593
Charges et produits financiers	- 11 669	- 6 736	- 5 678
Résultat courant avant impôts	40 118	39 897	34 328
Produits et charges exceptionnels	5 171	914	534
Dotation amortissements exceptionnels	- 1 188	- 1 213	–
Impôts sur les bénéfices	- 15 194	- 12 708	- 13 365
Participation salariés	- 820	608	1 821
Résultats sociétés mises en équivalence	150	5	–
Résultat net	28 237	26 282	19 676
Part du groupe	26 200	23 324	18 570

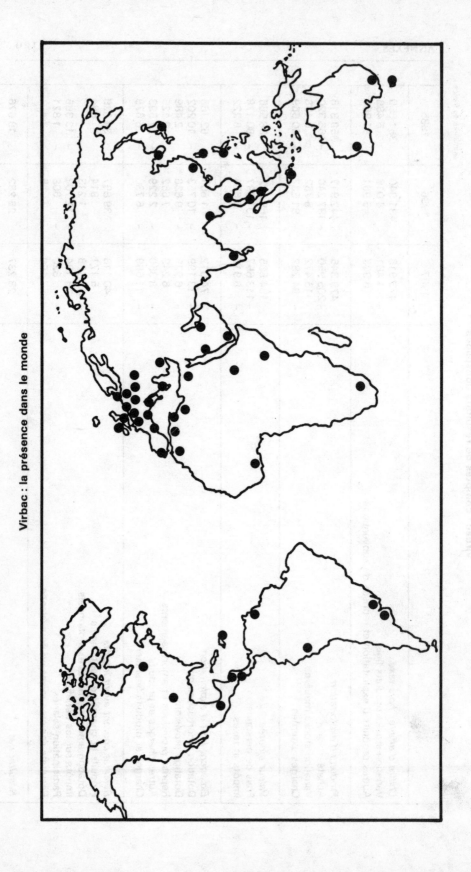

Virbac : la présence dans le monde

Composé par P.C.A.
à Bourguenais (L.-A.)
Achevé d'imprimer le 31 août 1989
dans les ateliers de Normandie Impression S.A.
à Alençon (Orne)
N° d'éditeur : 948
N° d'imprimeur : 891753
Dépôt légal : septembre 1989

Imprimé en France